AMAR E SERVIR

COSTA NETO

AMAR E SERVIR
A CULTURA DO **VOLUNTARIADO**

Vida

Editora Vida
Rua Conde de Sarzedas, 246 — Liberdade
CEP 01512-070 — São Paulo, SP
Tel.: 0 xx 11 2618 7000
atendimento@editoravida.com.br
www.editoravida.com.br
@editora_vida /editoravida

AMAR E SERVIR
© 2018, Costa Neto

Todos os direitos desta edição em língua portuguesa reservados e protegidos por Editora Vida pela Lei 9.610, de 19/02/1998.

É proibida a reprodução desta obra por quaisquer meios (físicos, eletrônicos ou digitais), salvo em breves citações, com indicação da fonte.

■

Exceto em caso de indicação em contrário, todas as citações bíblicas foram extraídas de *Nova Versão Internacional* (NVI)
© 1993, 2000, 2011 by International Bible Society, edição publicada por Editora Vida. Todos os direitos reservados.

Todas as citações bíblicas e de terceiros foram adaptadas segundo o Acordo Ortográfico da Língua Portuguesa, assinado em 1990, em vigor desde janeiro de 2009.

■

Editor responsável: Gisele Romão da Cruz
Editor-assistente: Marcelo Martins
Preparação: Sônia Freire Lula Almeida
Revisão de provas: Josemar de Souza Pinto
Projeto gráfico, diagramação e capa: Claudia Fatel Lino

As opiniões expressas nesta obra refletem o ponto de vista de seus autores e não são necessariamente equivalentes às da Editora Vida ou de sua equipe editorial.

Os nomes das pessoas citadas na obra foram alterados nos casos em que poderia surgir alguma situação embaraçosa.

Todos os grifos são do autor, exceto indicação em contrário.

1. edição: nov. 2018
1. reimp.: dez. 2018
2. reimp.: jan. 2020
3. reimp.: jan. 2022
4. reimp.: nov. 2022
5. reimp.: out. 2023

Dados Internacionais de Catalogação na Publicação (CIP)
(Câmara Brasileira do Livro, SP, Brasil)

Costa Neto
　　Amar e servir: a cultura do voluntariado / Cícero Francisco Costa Neto. — São Paulo: Editora Vida, 2018.

　　ISBN 978-85-383-0383-1
　　e-ISBN 978-65-5584-138-1

　　1. Crescimento espiritual 2. Liderança 3. Ministério cristão 4. Reavivamentos I. Título.

18-20815　　　　　　　　　　　　　　　　　　　　　　　CDD-248.4

Índices para catálogo sistemático:
1. Crescimento espiritual : Vida cristã : Cristianismo 248.4
Iolanda Rodrigues Biode - Bibliotecária - CRB-8/10014

A
JESUS,
o maior voluntário da História,

"Pois dele, por ele e para ele são todas as coisas.
A ele seja a glória para sempre!
Amém".

Agradecimentos

Chegar até aqui somente foi possível porque literalmente Deus nos sustentou por sua graça e misericórdia, por meio de Jesus que me alcançou.

Também foi uma jornada feita com pessoas especiais, a mais importante foi ela, minha esposa Nenen Costa. Nenen, você é aquela voz que escuto e levo a sério. Obrigado por me ajudar a chegar até aqui, sem você seria muito complicado.

Agradeço a Deus por me presentear com dois filhos maravilhosos, Andréa e Lucas. Vocês fazem de mim um pai orgulhoso! Amo vocês.

Aos meus netos lindos Zion, Brooklyn e Charlotte. Nunca se esqueçam de amar e servir.

À minha igreja que eu amo tanto, por me permitir viver minha humanidade. Ser pastor de vocês é fácil.

E aqui uma homenagem honrosa ao meu pai Jeremias Costa. Reconheço que ele foi, sem dúvida, o primeiro a me ensinar servir na igreja. Um dia vamos nos encontrar no céu e conversar bastante!

Sumário

Introdução/**11**

Parte I – Amar e servir

1. Nasci para isso/**17**
2. Deus procura por voluntários/**29**
3. O voluntário sacerdote/**35**
4. O voluntário levita/**39**
5. O voluntário samaritano/**45**

Parte II – O voluntariado

6. Voluntariado como cultura/**53**
7. Voluntariado como chamado/**63**
8. Voluntariado como um exército poderoso/**77**
9. Voluntariado como instrumento de graça/**87**
10. Voluntariado como reflexo de Jesus/**93**
11. Todos somos iguais/**97**

Parte III – Como levantar voluntários

12. Crie os espaços/**101**
13. Como levantar e manter uma cultura saudável de voluntários/**111**
14. O processo/**121**
15. Termo de compromisso/**123**

Parte IV – Ultrapassando as fronteiras

16. Ampliando a visão/**127**
17. Ame seu vizinho/**131**
18. Juntando-se com quem já faz/**133**
19. Esta cidade é minha/**137**
20. Generosidade que transforma/**139**
21. Ninguém nasce grande/**143**

Parte V – Apêndices

1. Descrição de cargos/**147**
2. Entrevista para líder de serviço/**157**
3. Termo de compromisso do voluntário/**161**

Sumário

4. Organogramas de voluntários/**165**
5. Organograma de culto /**171**
6. Programações — Videira/**173**
7. Descrição de departamentos/**179**
8. Como conduzir uma reunião de voluntários/**183**
9. Festa dos voluntários/**189**

Introdução

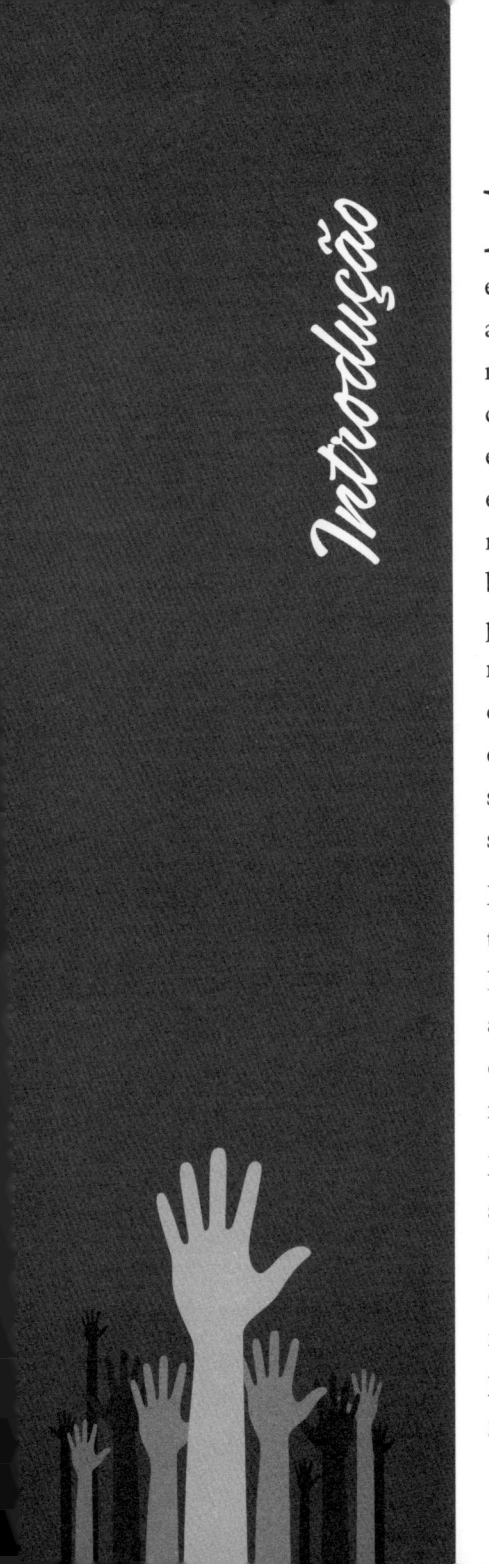

Não me lembro de quando tudo começou, mas eu era um garotinho quando acompanhava meu pai nas reuniões da igreja. Era uma comunidade bem pequena, e o senhor Jeremias, como era chamado, era voluntário naquela ocasião. Como bancário, estava à disposição para servir no que fosse necessário. O bom emprego que tinha lhe dava condições de cuidar da nossa família e ser generoso de um jeito bem significativo.

Eu gostava de observar como tudo era bem feito na igreja. Lógico que eu não fazia coisa alguma, até porque era uma criança e naquela época todos da minha idade só brincavam.

Eu amava estar na igreja e, sempre que via meu pai se arrumando para ir à igreja, lá estava eu grudado nele. Foram momentos preciosos para mim, pois desenvolvi um amor muito grande pela igreja. O fato de ver as coisas acontecendo além dos domingos me fazia ver que os cultos do fim de semana só aconteciam porque um grupo de pessoas, e isso incluía meu pai, tornava isso possível.

O tempo foi passando e pouco a pouco me envolvi de forma mais direta. Na época, escolhi estudar à noite e ajudava durante algumas tardes na igreja tocando violão e auxiliando nas áreas de oração e visitas em casas de algumas famílias. Vieram os bons acampamentos e retiros nos grandes feriados, e passei a servir nas compras, no transporte, na limpeza, na logística e onde fosse preciso.

Éramos poucos naquela ocasião, e nesse grupo havia uma pessoa especial que sempre me acompanhava; na verdade, era o contrário, eu é que a acompanhava. Adivinhe quem era essa pessoa? Uma amiga, a mulher que se tornou minha esposa. Virávamos noites e noites preparando o material de estudo, os cadernos de cânticos e as inscrições dos participantes. Com o passar do tempo, servi tocando, cantando e montando e desmontando o equipamento de som para essas atividades.

Se você me perguntar se eu já possuía uma consciência de voluntariado, diria que não, nem tinha noção do que isso significava, mas confesso que servir começou bem cedo na minha vida. Não sabia que Deus já estava me preparando. Por anos, trabalhei com crianças, adolescentes, jovens, louvor, casais etc. Lembro-me dos encontros de casais e de jovens, e, para quem sabe direitinho a que estou me referindo, posso afirmar que servi em todas as equipes. Servir me fez e faz viver melhor.

Apesar de hoje pastorear em tempo integral na igreja, prezo por manter um coração de voluntário. Como dizemos na Videira: "O segredo é ser um colaborador com coração de voluntário, e um voluntário com compromisso de colaborador". Então, sou pastor sênior hoje, mas estou certo de que servir foi a maior riqueza que Deus fez nascer e crescer na minha vida. Servir é algo natural no meu dia a dia, em casa, na igreja, no trânsito, em um *shopping*; por onde passo, fico à procura de pessoas a quem servir, com olhos atentos para o meu "próximo". Falaremos sobre isso mais adiante.

Vejo isso acontecer com milhares de pessoas ao redor do mundo e não vejo a hora de essa concepção invadir as igrejas, as casas, as cidades e todas as comunidades. Não tem preço ver pessoas servindo de coração!

O propósito de escrever este livro nasceu da necessidade de levantar um exército de voluntários por todo o Planeta. Acredito que, se o ser humano tiver a mesma natureza de Jesus, passará a *amar e servir*. Quando fizermos isso, estaremos respondendo a um chamado de Jesus e a uma missão do próprio Deus. Essa missão começou em Jesus e nos dias atuais não pode parar em nós, pois "Assim como Deus enviou Jesus, Jesus nos enviou" (João 17.18).

Eu acredito em um mundo melhor. Vejo que a mensagem do evangelho de Jesus é poderosa para transformar o ser humano, e somente assim teremos uma sociedade transformada. Pelo que tenho observado, *amar e servir* às pessoas é refletir a natureza de Jesus de forma prática. Por isso, desejei compartilhar com você o que acredito ser algo revolucionário em qualquer organização e ouso dizer que é a base para transformar uma sociedade.

Quando vejo na nossa comunidade a cada semana um exército de voluntários servindo incansavelmente pelo simples fato de que as pessoas merecem ser tratadas com dignidade, percebo que era justamente o que Jesus vivia ao dizer que não veio para ser servido, e sim para servir. Sendo Senhor e Mestre, disse

Introdução

enfaticamente que deveríamos fazer o mesmo, e pela graça de Deus temos obedecido à sua voz.

Por onde eu tenho andado, vejo uma transformação incrível acontecer pelo fato de as pessoas viverem o chamado de Jesus para servir. Um verdadeiro avivamento tem invadido igrejas inteiras, e elas passam a viver outro nível de evangelho. As pessoas se dão conta de que *servir é bem melhor* do que ficar no banco de reserva. Entrar em campo e servir às pessoas passa a fazer sentido para se viver.

Caso você realmente queira dar sentido à sua vida, então permita que as páginas seguintes o levem a pôr em prática o que muitas instituições têm feito. Deixe que o Espírito Santo leve você para o time dos maiores no Reino de Deus, o time dos servos.

Saia da arquibancada; pare de torcer; entre em campo e sirva às pessoas ao seu redor, e você vai experimentar algo jamais vivido.

E faça isso porque a natureza de Jesus está em você.

Palavras de um voluntário.

Costa Neto

Parte I
Amar e servir

Capítulo 1
Nasci para isso

A vida só faz sentido quando viver para outros faz sentido.

Costa Neto

Lucas registra uma história em que Jesus, a personagem principal, já estava incomodado por ver tanta coisa sobre a Palavra apenas na memória, mas pouca prática.

Ao ler o texto, imagino que, diante da pergunta, Jesus deve ter colocado o olho em seu interlocutor, que se dizia *perito na lei*, mas aos olhos do Mestre, *analfabeto na prática*.

A forma, ainda que amorosa e delicada, de Jesus responder deve ter causado um impacto enorme nele e na plateia a ponto de ninguém mais ousar fazer nenhuma pergunta. Como se Jesus dissesse: "Vamos acabar logo com essa conversa boba, e deixe-me de uma vez por todas terminar o assunto com esta história".

Veja a passagem completa:

> Certa ocasião, um perito na lei levantou-se para pôr Jesus à prova e lhe perguntou: "Mestre, o que preciso fazer para herdar a vida eterna?"
>
> "O que está escrito na Lei?", respondeu Jesus. "Como você a lê?" Ele respondeu: " 'Ame o Senhor, o seu Deus, de todo o seu coração, de toda a sua alma, de todas as suas forças e de todo o

seu entendimento' e 'Ame o seu próximo como a si mesmo' ".
Disse Jesus: "Você respondeu corretamente. Faça isso e viverá".
Mas ele, querendo justificar-se, perguntou a Jesus: "E quem é o meu próximo?"
Em resposta, disse Jesus: "Um homem descia de Jerusalém para Jericó, quando caiu nas mãos de assaltantes. Estes lhe tiraram as roupas, espancaram-no e se foram, deixando-o quase morto. Aconteceu estar descendo pela mesma estrada um sacerdote. Quando viu o homem, passou pelo outro lado.
E assim também um levita; quando chegou ao lugar e o viu, passou pelo outro lado. Mas um samaritano, estando de viagem, chegou onde se encontrava o homem e, quando o viu, teve piedade dele.
Aproximou-se, enfaixou-lhe as feridas, derramando nelas vinho e óleo. Depois colocou-o sobre o seu próprio animal, levou-o para uma hospedaria e cuidou dele. No dia seguinte, deu dois denários ao hospedeiro e lhe disse: 'Cuide dele. Quando eu voltar, pagarei todas as despesas que você tiver'.
"Qual destes três você acha que foi o próximo do homem que caiu nas mãos dos assaltantes?"
"Aquele que teve misericórdia dele", respondeu o perito na lei.
Jesus lhe disse: "Vá e faça o mesmo" (Lucas 10.25-37).

Passando para o teor da conversa entre os dois, e para facilitar o entendimento, listo a seguir algumas frases-chave:

- "Mestre, o que preciso fazer para herdar a vida eterna?"
- "Faça isso e viverá."
- "Quem é o meu próximo?"
- "Vá e faça o mesmo."

"Mestre, o que preciso fazer para herdar a vida eterna?"

O cerne da questão era sobre a vida eterna e aquele homem, que era muito mais do que um conhecedor da lei; era um estudioso detalhista e professor da lei que citou o maior de todos os mandamentos. Ainda assim, na perspectiva de Jesus, ele estava longe do caminho para a eternidade. Ele estava completamente perdido!

Sério, você precisa entender essa conversa! Jesus deve ter perguntado a ele algo assim: "Como você aplica isso que respondeu tão bem no seu dia a dia?". Olha uma dica aqui: a vida não é feita das respostas que buscamos, e sim das boas perguntas que fazemos. É bem provável que ele tenha respondido com uma lista de afazeres, mas que não se relacionavam com amar e servir às pessoas. Por que afirmo isso? Veja como a conversa continua:

> Disse Jesus: "Você respondeu corretamente. Faça isso e viverá".
> Mas ele, querendo justificar-se, perguntou a Jesus: "E quem é o meu próximo?".

Aqui está a questão principal. Lucas não registra, mas deixa implícito algo que, para aquele homem, não fazia sentido, ou seja, conectar a vida eterna com a vida terrena, a salvação com as obras, a fé com o serviço.

Para ele, construir a vida eterna na terra era fazer coisas para Deus; por exemplo: ir ao templo, prestar culto, dar ofertas, jejuar, ler as Escrituras, ensinar — tudo tem seu valor, mas qualquer atividade que não transforma o nosso coração para amar e servir às pessoas não é servir a Deus e a seu Reino.

Nasci para isso

O que realmente importa para Deus é refletir sua natureza no amor ao próximo e no serviço às pessoas. Faz algum sentido para você construir a eternidade na terra por meio do amor pelo ser humano? Há alguma conexão entre eternidade e generosidade, solidariedade, misericórdia? Seria possível fazer algo para Deus sem levar em consideração sua natureza em nós?

Você verá claramente que é para isso que Jesus chama atenção e que aquele homem, ainda que fosse conhecedor das Escrituras, não entendeu.

Minha pergunta é simples: será que uma atitude semelhante não se tornou algo comum nos nossos dias? Será que não temos deixado o voluntariado de lado como se fosse algo à margem da caminhada com Cristo? Isso para você é doutrina da Bíblia? Você considera esse assunto um princípio elementar da jornada de um seguidor de Cristo? É um reflexo do caráter dele em nós? Ou quem sabe Jesus não estava chamando atenção para o fato de que a eternidade é muito mais um estilo de vida que reflete Jesus na nossa vida do que algo que será uma realidade após a morte?

Pois foi justamente nesse sentido que a conversa se desenrolou. Na prática, Jesus demonstrou que a vida eterna só pôde chegar até nós porque ele se tornou servo obediente até a morte, e morte de cruz:

> mas esvaziou-se a si mesmo, vindo a ser servo, tornando-se semelhante aos homens. E, sendo encontrado em forma humana, humilhou-se a si mesmo e foi obediente até a morte, e morte de cruz! (Filipenses 2.7,8).

É bom que essas questões sejam bem tratadas e respondidas, porque Jesus foi bem claro ao contar essa história. O amor e o serviço põem em jogo a vida eterna.

Quando o assunto é voluntariado, há uma pergunta importante a ser feita para a qual quero chamar sua atenção: Quer dizer que, se eu servir, sou salvo? E Jesus e o Calvário? A propósito, obrigado por perguntar! Servir jamais salva alguém. Agora, veja bem, não servir pode trazer sérias consequências; foi de Jesus esta observação. Paulo faz alusão ao mesmo assunto quando diz:

> Pois vocês são salvos pela graça, por meio da fé, e isto não vem de vocês, é dom de Deus; não por obras, para que ninguém se glorie. Porque somos criação de Deus realizada em Cristo Jesus para fazermos boas obras, as quais Deus preparou antes para nós as praticarmos (Efésios 2.8-10).

O texto citado anteriormente é claro, mas a observação que faço é a continuação dele. Jesus é a *causa*, o fundamento da salvação, mas o *efeito* da salvação são as boas obras que Deus deseja que em Cristo venhamos a realizar. O efeito da salvação é transformação de vida, ou seja, viver o fruto do Espírito, que é amor, paz, alegria, paciência, amabilidade, bondade, fidelidade, mansidão e domínio próprio.

Quando somos salvos, as boas obras devem acompanhar o que fazemos. Não há como estar em Cristo e não amar e servir às pessoas. Uma coisa interessante é que o irmão de Jesus também fala sobre isso:

> De que adianta, meus irmãos, alguém dizer que tem fé, se não tem obras? Acaso a fé pode salvá-lo? [...] Assim também a fé, por si só, se não for acompanhada de obras, está morta. [...] Assim como o corpo sem espírito está morto, também a fé sem obras está morta (Tiago 2.14,17,26).

Pois é, a fé sem obras é morta, e isso resume tudo. É impressionante como somos levados a esquecer um fundamento tão sério e determinante que Jesus prioriza nessa parábola. Servir a Deus é servir às pessoas, simples assim. Não tocamos em Deus, nem jamais o vimos; ele é espírito, mas, quando fazemos algo a qualquer ser humano, estamos fazendo ao próprio Deus. Esse assunto é muito sério; não o podemos negligenciar de forma alguma.

"Quem é o meu próximo?"

O meu próximo, respondendo à pergunta daquele homem, é qualquer pessoa que esteja ao alcance da minha generosidade. É agir em favor para com qualquer pessoa com as minhas próprias mãos, por ser esse meu dever e obrigação. Portanto, é aquele que está ao meu redor e por quem sou responsável e não posso delegar a ninguém. Amar e servir exige autorresponsabilidade, exige chamar para si o que ninguém pode fazer, porque foi Deus que pôs diante de mim essa pessoa, para que eu possa servir a ela.

Transferir a responsabilidade para outras pessoas, para o governo, para a igreja, para uma instituição qualquer não vai adiantar de nada. Foi por isso que Jesus contou a história.

Imagine-se num mundo em que as pessoas assumem a responsabilidade que têm para com o outro. Seria isso utopia? Claro que não. Como seria possível? Você e eu fazendo a nossa parte.

Jesus nos ensina o óbvio, o trivial. O próximo é aquele que está ao nosso lado, nosso vizinho de casa, o vizinho no transporte público, o colega de trabalho e todos aqueles que infelizmente não são vistos pela sociedade — "os invisíveis" —, aqueles que hoje você e eu decidimos enxergar.

A propósito, os invisíveis são todos aqueles que nos acostumamos a ver nos semáforos, nas ruas, nas esquinas; crianças abandonadas; idosos que já produziram tanto e hoje são erroneamente vistos como peso para o governo; os abandonados nas sarjetas por causa das drogas e do alcoolismo; dos que sobrevivem de prostituição; de todos os que foram desacreditados e esquecidos pelos próprios familiares. Ao cruzar com uma dessas pessoas, em geral não a vemos, não sentimos comoção nem cuidado, pois a nossa visão já foi contaminada!

"Quando viu o homem, passou pelo outro lado. E assim também um levita; quando chegou ao lugar e o viu, passou pelo outro lado."

O sacerdote e o levita viram com os olhos, mas o coração estava cego. Enxergar friamente, agir de forma insensível, tornar banal e natural o que Deus diz ser sério são algumas atitudes que conduzem à (e sinalizam a) cegueira do coração.

Como pode ser mais fácil se comover quando a situação é de outro país? Como é possível se revoltar quando o fato está distante de nós? Que coração é esse que não consegue se importar com os problemas do bairro, da própria cidade e do próprio povo, mas que cai em prantos quando o assunto é a pauta dos noticiários? O correto é ser sensível com estes sem desprezar aqueles.

Segundo o próprio Jesus, fazer para o próximo é fazer para o próprio Deus. Isso não é algo sério demais para se deixar de lado?

Jesus poderia escolher ficar no céu sozinho, sendo adorado e servido por seres celestiais, mas, por causa de seu grande amor com que nos amou, ele veio a este mundo para nos servir, mas não de

Nasci para isso

qualquer jeito; foi algo que o levou a morrer por nós naquela cruz, fato esse que mudou o curso da nossa história e da humanidade. Se Deus decidiu nos criar, mesmo tão pequenos em comparação a bilhões de astros espalhados nas galáxias, não deveríamos abrir os olhos e decidir enxergar também as pessoas ao nosso redor? Viver sem levar isso em consideração é sem dúvida não acreditar na seriedade com que Deus encara esse assunto. Eu acredito que ele vai ser rigoroso, tendo em vista que ele assumiu integralmente o exemplo de servo e foi taxativo sobre isso.

Quando ninguém nos viu, ele decidiu nos ver. Quando ninguém nos havia amado, ele insistiu em nos amar. Quando os nossos pecados roubaram de nós a verdadeira identidade, ele fez questão de enxergar o que restava de bom em nós e nos fez viver nossa melhor versão.

Mesmo assim me amou
Me amou
Viu o melhor e o pior que posso estar
E mesmo assim me amou
Viu o quão alto e o quão baixo posso ir
E mesmo assim me amou
E mesmo assim me amou

Aleluia
O amor insistiu em me amar
O amor insistiu em andar em direção à cruz
Pra me salvar

Me amou
Em meio à sujeira e ao caos me encontrou
E mesmo assim me amou

Nem mesmo o pior dos meus pecados te parou
E mesmo assim me amou
E mesmo assim me amou

Aleluia
O amor insistiu em me amar
O amor insistiu em andar em direção à cruz
Pra me salvar

Sobre os meus erros
Sobre os meus medos
Sobre as limitações
Teu amor triunfou

Sobre o pecado
Sobre o engano
E sobre a morte
Teu amor triunfou[1]

"Faça isso e viverá." "Vá e faça o mesmo."

O que Jesus quer nos ensinar? O que isso representou para aquele homem?

Antes de tudo, o que Jesus sempre evidenciou foi o evangelho prático e coerente. E quem sabe não foi essa a grande questão do diálogo entre Jesus e o perito na lei.

Quando analisamos o texto profundamente, fica subtendido que o homem não entendeu a afirmação "Faça isso e viverá". E o que significa isso na prática? A propósito, não seria este o grande desafio de quem segue Jesus: praticar o que ele disse?

---

[1] DANTAS, Carlos; SOARES, Jônatas; TRIGUEIRO, Pedro. *Mesmo assim me amou*. Videira, 2017.

Vamos lá. A verdadeira vida não é fazer para Deus, e sim primeiramente *estar* em Deus, ter sua natureza, e literalmente *ser* transformado pelo Espírito Santo e expressar essa vida no dia a dia. Ou seja, *fazer* para Deus nunca irá substituir *estar* com Deus. Quando estamos em Deus, fazer/servir será um transbordar inevitável. Viver do ponto de vista de Jesus era refletir o amor a Deus no amor e no serviço às pessoas. Isso, sim, é o verdadeiro caminho para a vida eterna de forma prática.

A grande pergunta não é somente para aquele homem, e sim para todos nós.

— *Nosso amor a Deus está refletido no amor e no serviço às pessoas?*

Caso a resposta seja não, é melhor alinhar-se ao que Jesus falou.
E, por falar nisso, se sua resposta foi sim, quem é o seu próximo?
É realmente o próximo segundo o ponto de vista de Jesus?
São pessoas do dia a dia, invisíveis para a sociedade, sem nome nem fama, pessoas de quem não receberei o retorno, atitudes que não são vistas nem publicadas nas redes sociais, mas contempladas aos olhos de Deus?

O "Vá e faça o mesmo" de Jesus foi bem específico, no sentido de que ele faria o que o samaritano fez. Significa fazer na prática o que o evangelho de Jesus diz para fazer, não o que a religião sugere ou diz ser importante. Na verdade, a atitude do samaritano foi realizada com o coração e fundamentada no amor, sem o qual, na perspectiva de Deus, não teria valor algum:

> Ainda que eu dê aos pobres tudo o que possuo e entregue o meu corpo para ser queimado, se não tiver amor, nada disso me valerá (1Coríntios 13.3).

Fico a pensar sobre o que seria da nossa sociedade se o evangelho de Jesus fosse vivido na prática. Nossas cidades, famílias, comunidades seriam totalmente diferentes, completamente humanas e cheias de vida. Foi isso que Tiago, o irmão de Jesus, quis dizer ao afirmar em seu livro:

> A religião que Deus, o nosso Pai, aceita como pura e imaculada é esta: cuidar dos órfãos e das viúvas em suas dificuldades e não se deixar corromper pelo mundo. (Tiago 1.27).

Quando lemos em Mateus 25 o relato de Jesus de como será a prestação de contas que cada um de nós terá de dar, encontramos coisas práticas que refletem a natureza de Cristo no nosso dia a dia e o que de fato significa amar a Deus e servir ao próximo. Veja o que está escrito:

> "Então o Rei dirá aos que estiverem à sua direita: 'Venham, benditos de meu Pai! Recebam como herança o Reino que foi preparado para vocês desde a criação do mundo. Pois eu tive fome, e vocês me deram de comer; tive sede, e vocês me deram de beber; fui estrangeiro, e vocês me acolheram; necessitei de roupas, e vocês me vestiram; estive enfermo, e vocês cuidaram de mim; estive preso, e vocês me visitaram'. [...] "O Rei responderá: 'Digo a verdade: O que vocês fizeram a algum dos meus menores irmãos, a mim o fizeram' " (Mateus 25.34-36,40).

Jesus nos chama para a autorresponsabilidade. Sim, isso mesmo. Não há mais espaço para a omissão, não é tempo de dar desculpas; é tempo de agir. O levita e o sacerdote tiveram suas desculpas e deixaram escapar a oportunidade de servir e fazer a vida ser vivida de forma plena. Como voluntários, nunca podemos nos perder em meio às nossas atividades. Independentemente do "o que" do momento, o nosso "por que" sempre será sobre pessoas. Tenho certeza de que o sabor da vida será completamente diferente

Nasci para isso

quando seu coração for pleno de compaixão pelo próximo, quando de fato sua vida for proativa na direção de amar a Deus e servir às pessoas ao redor.

Deveríamos valorizar mais o que realmente tem valor para Jesus. Sendo assim, amar e servir importa muito para ele. A conclusão é simples: quando focarmos a vida na prática dessas coisas, realmente viveremos a vida que agrada a Deus e agrada aos homens. É a vida que vale a pena viver.

Agora a conversa é entre nós: o que muda em sua vida depois dessa perspectiva? Quais são os seus valores depois dessa conversa? O que de fato vai fazer você viver a verdadeira vida? Do que você realmente precisa pedir perdão a Deus? Quem está a seu lado esperando que você seja a resposta de Deus para ele?

Capítulo 2
Deus procura por voluntários

Isto eu afirmo com muita convicção: realmente Deus anda à procura de quem de fato deseja servir. Sua natureza é justamente a de servir. Jesus demonstrou a mesma atitude inúmeras vezes, por exemplo, quando lavou os pés dos discípulos:

> Quando terminou de lavar-lhes os pés, Jesus tornou a vestir sua capa e voltou ao seu lugar. Então lhes perguntou: "Vocês entendem o que fiz a vocês? Vocês me chamam 'Mestre' e 'Senhor', e com razão, pois eu o sou. Pois bem, se eu, sendo Senhor e Mestre de vocês, lavei os seus pés, vocês também devem lavar os pés uns dos outros. Eu dei o exemplo, para que vocês façam como lhes fiz. [...] Agora que vocês sabem estas coisas, felizes serão se as praticarem" (João 13.12-15,17).

Jesus afirmou claramente que ele foi o primeiro em dar o exemplo; portanto, da mesma forma deveríamos fazer isso também. Eis a razão por que entendo que Deus anda à procura de voluntários; ele anda à procura de filhos que sigam seu exemplo de fazer com os outros o que ele mesmo fez com os doze discípulos. Se Deus anda à procura de adoradores, ele também procura por voluntários.

Outra razão é que, quando servirmos, estamos afirmando de forma prática que amamos as pessoas, e somente com essa linguagem nossa comunicação é compreendida. Amor que não consegue ser demonstrado é amor falso!

Deus anda à procura daqueles que realmente se importam com o que há de mais precioso aos olhos dele, ou seja, o ser humano. Já vimos que fazer para os outros como resultado do nosso amor a Deus é fazer para o próprio Deus. E, quando isso acontece, percebemos que servir é algo intencional e fruto de um coração realmente transformado. Quer saber por quê?

Quando servimos, o amor tem de estar presente. Talvez para algumas pessoas isso seja mais fácil, mas, com o passar do tempo, pode se tornar algo penoso e obrigatório. Servir sem amar é servir com segundas intenções. Intenções de ser socialmente aceito, de ser admirado, de ter o sentimento de pertencimento. Porém, essas não podem ser a nossa causa; mas, em proporções saudáveis, são necessidades humanas e consequências naturais de um serviço genuíno. Quando servimos por amor e com o foco no outro, naturalmente nos tornamos o "próximo" dessas pessoas também. Nesse contexto, o sentimento de Corpo toma forma. Passamos a pertencer, a nos sentirmos úteis, a sermos parte. Somente quando assumimos a condição de Corpo é que nos tornamos tudo o que Deus nos criou para ser. E somos Corpo quando somos servos, quando não abrimos mão da parte que é nossa como membro de algo que é maior que nós mesmos. Servir com o fundamento do amor é ser abrangente e não esperar nada em troca. Deus procura por voluntários que amem? Claro que sim. Tudo é efeito; só o amor é causa!

O verdadeiro voluntário serve a quem precisa, sem distinção de cor, raça, posição social ou qualquer outro critério que porventura cause acepções.

Deus anda à procura de voluntários porque é dessa forma que o imitamos. Foi nesse sentido que Paulo disse em sua carta aos Efésios: "Portanto, sejam imitadores de Deus, como filhos amados" (5.1).

Como imitadores de Deus, devemos olhar para Jesus; se ele ora, devemos orar também; se ele perdoa, perdoemos; se ele ama, amemos; se ele serve, sirvamos da mesma forma. Refletir o caráter, bem como as atitudes daquele que afirmamos ser nosso Senhor, é o mínimo que se espera de um seguidor. Na expansão do Reino de Deus, não há como fazer isso, a não ser servindo e amando as pessoas. Ser voluntário é esvaziar-se de si mesmo:

> Seja a atitude de vocês a mesma de Cristo Jesus, que, embora sendo Deus, não considerou que o ser igual a Deus era algo a que devia apegar-se, mas esvaziou-se a si mesmo, vindo a ser servo, tornando-se semelhante aos homens (Filipenses 2.5-7).

Tenho visto isso acontecer na prática todos os dias dentro das igrejas, de organizações não governamentais, por meio de profissionais liberais, empresários, donas de casa, homens e mulheres, jovens e até crianças, e o resultado não poderia ser outro: vidas são impactadas com o amor e o serviço de cada voluntário que encontra espaço em sua agenda para demonstrar na prática a importância do ser humano, que este merece carinho, bem como ter suas necessidades supridas.

Deus procura por voluntários

Quando somos encontrados por Deus, a recompensa é certa. E qual deve ser a principal? Para responder, quero usar a forma linda segundo a qual Deus separou na História a tribo de Levi. Ao lermos o relato de Moisés da divisão das tribos, encontramos uma que não recebeu nenhuma herança terrena; as demais tiveram a posse da terra, mas para os levitas, como eram chamados, Deus disse: "[...] Os levitas serão meus [...]" (Números 3.45) e "[...] eu sou a sua [...] herança [...]" (Números 18.20).

Isso é incrível. Uma tribo inteira serve, e o próprio Deus é a recompensa. Desse modo, quando servimos a Deus, a recompensa não é terrena; é do alto, vem do próprio Deus. Servir ocupa um lugar de destaque; não é uma função pequena nem algo de menor valor. Deus leva a sério quando o assunto é servir.

Converse com quem serve e veja no semblante dessa pessoa a alegria, a satisfação, o prazer estampado na alma e os olhos cheios de vida. Posso afirmar que o serviço voluntário é, sem dúvida, uma atividade divina; somente quem serve desfruta desse sentimento. Eis a razão de encontrar um princípio bíblico segundo o qual *melhor é servir do que ser servido* (leia, por exemplo, Mateus 20.28).

Deus anda à procura de voluntários que queiram servir nas casas, nos condomínios, nos bairros, nas cidades. Imagine como seriam as empresas se, antes do dinheiro, o sentimento de servir estivesse presente. Imagine como o mundo seria melhor: as cidades, as igrejas, as comunidades!

Deus anda à procura de voluntários, mas eu e você precisamos querer ser achados por ele. Em outra palavras, o solo do nosso coração precisa estar fértil para que as sementes dos princípios de Deus criem raízes e floresçam em nossas vidas (conforme Lucas 8).

Oro para que, na volta de Jesus, ele encontre amor em nossa vida, e um amor prático, que age em todas as oportunidades; o amor derramado em nós pelo Espírito Santo de Deus.

Às vezes, penso em tantas pessoas que andam em busca de Deus, procurando-o desesperadamente, como se fosse tão difícil encontrá-lo. Da mesma forma que os atributos de Deus são percebidos na própria natureza, sua pessoa é encontrada em cada ser humano que serve em seu nome. Quer se encontrar com Deus? Pois comece a servir, comece a amar as pessoas, comece a ser um agente da graça, da misericórdia, do refrigério para as pessoas que estão ao seu redor. Veja o que aconteceu com um homem chamado Cornélio:

> Havia em Cesareia um homem chamado Cornélio, centurião do regimento conhecido como Italiano. Ele e toda a sua família eram religiosos e tementes a Deus; dava muitas esmolas ao povo e orava continuamente a Deus. Certo dia, por volta das três horas da tarde, ele teve uma visão. Viu claramente um anjo de Deus que se aproximava dele e dizia: "Cornélio!" Atemorizado, Cornélio olhou para ele e perguntou: "Que é, Senhor?" O anjo respondeu: "Suas orações e esmolas subiram como oferta memorial diante de Deus" (Atos 10.1-4).

O texto é claro quanto ao fato de ele ter uma vida de oração a Deus e também em afirmar que sua generosidade em servir às pessoas o acompanhava como estilo de vida. Mas que importância tem isso? Preste atenção, a razão de Cornélio ser uma pessoa de fé e prática o levou a ter um encontro pessoal com Jesus. No desenrolar da história, Pedro vai ao encontro dele para falar a respeito de Jesus; ele e sua casa são salvos e cheios do Espírito Santo. Em resumo,

Deus procura por voluntários

Jesus quis se revelar de forma pessoal a Cornélio. Isso não é incrível? Oração e generosidade, fé e obras como demonstração do amor e do serviço às pessoas conduzem à revelação. Você ainda tem dúvidas de que Deus está à procura de voluntários?

Percebo isso ao deparar sempre com o fato de que o próprio Jesus supre as necessidades dos que servem, ele os enche de alegria e cuida da casa e família deles enquanto eles estão cuidando de outras pessoas. Vejo com os olhos da fé os anjos servindo aos voluntários enquanto estes amam e servem às pessoas. É incrível ver o semblante de quem serve, pois é algo típico de quem está repleto do próprio Deus.

Voluntário é aquele que, ao servir, consegue enxergar Deus na vida de outra pessoa! Caso essa pessoa seja você, não se preocupe, Deus já o encontrou!

Capítulo 3
O voluntário sacerdote

O sacerdote ocupava uma das posições mais importantes na época de Jesus. Sua influência abrangia a religião, bem como a política que determinava os costumes do povo. Servia também de interlocutor do regime romano entre os principais líderes sob sua jurisdição e a religião judaica.

Os romanos mantinham uma aproximação bastante sólida com relação aos povos conquistados, porque assim era possível impor suas normas e principalmente recolher os impostos necessários para a continuidade do império. Por sua vez, os sacerdotes, no caso do nosso texto-base, aproveitavam essa aproximação para manter intocáveis suas regalias como líderes religiosos. Percebe-se claramente essa particularidade no julgamento de Jesus, descrito nos Evangelhos, e por Lucas, no caso do apóstolo Paulo. Uma vez sacerdote, para sempre sacerdote, pois seu mandato tinha caráter hereditário, de pai para filho.

Esperava-se dele literalmente que fosse um intercessor entre Deus e o povo, entre o povo e Deus. Era da sua competência administrar as ofertas pelo pecado e as de gratidão. Da mesma forma, mediava as petições e orações. Ele cuidava, inspirava, orava, adorava; era o representante de Deus na terra.

Algo bem presente na vida cotidiana de um sacerdote era sua busca por Deus, pois era isso que o diferenciava. A vida de um sacerdote se resumia a uma profunda intimidade com Deus e as Escrituras.

Ensinava o povo a amar a Deus, repreendia-o quando necessário e principalmente era um exemplo a ser seguido:

> "Vocês têm que fazer separação entre o santo e o profano, entre o puro e o impuro, e ensinar aos israelitas todos os decretos que o Senhor lhes deu por meio de Moisés" (Levítico 10.10,11).

Jesus sabia muito bem qual seria o entendimento daquele líder ao relatar a figura do sacerdote na parábola. Como perito na Lei, o convívio do líder com pessoas de todo tipo era bastante comum e com certeza ficou espantado com a situação narrada: "Aconteceu estar descendo pela mesma estrada um sacerdote. Quando viu o homem, passou pelo outro lado" (Lucas 10.31).

Que surpresa deve ter tido aquele homem, quando na história o sacerdote passou pelo outro lado sem ao menos se dar ao trabalho de ajudar o pobre ferido! Talvez ele conhecesse a atitude de um sacerdote com as pessoas no templo, como eles eram amáveis, prestativos, generosos e presentes na vida das pessoas.

O perito, ao procurar por Jesus, reconhecia-o como Mestre. E, mesmo sabendo que era uma parábola, estava admirado com tudo o que ouvira.

Talvez continuasse pensando: "E se fosse eu que estivesse naquela situação? E se fosse alguém da minha família? Meu Deus, isso não pode ser verdade!". E, se fosse ele, qual seria a sua reação? É possível que tenha batido em sua consciência o sentimento de que ele já fizera a mesma coisa. Aquela parábola era sobre ele mesmo, uma identificação estava acontecendo, Jesus estava contando a realidade daquele homem a ele mesmo.

Ao relatar a parábola, Jesus chama a atenção de grande parte daqueles que ainda não entenderam a mensagem de amar e servir, de fé e obras em conjunto e que ainda estão limitados a um título, a uma obrigação e a um lugar determinado. Para muitos, amar e servir são obrigações atreladas a um título ou a uma posição; em outras palavras, não é o meu lugar nem meu dia para servir, ou o lugar e as pessoas a quem sirvo são outros.

Mesmo vivendo no templo, o sacerdote não servia ao povo, não se importara com aquele homem e não sentira nada, não se compadecera. Mesmo sendo o representante de Deus, não se comportou como esperado. Talvez tenha se preocupado mais com as obrigações no templo e não tenha percebido que Deus se importa mais com as pessoas do que com as coisas. Viu, mas não sentiu nada, nada o comoveu. Na realidade, sua fé era sem obras. Inconscientemente, pensou que a igreja o servia, que o povo o servia. Quem sabe imaginou: "Esse homem não tem mais jeito... que outra pessoa cuide dele; já tenho obrigações demais". Em resumo: "Eu sou, sem ser de fato".

Deus deseja uma geração de voluntários sacerdotes que sejam totalmente o oposto. Voluntários que possuam uma profunda intimidade com Deus a ponto de conhecer sua Palavra e obedecer ao que ele determina. Voluntários que desejem profundamente a presença de Deus como algo natural do dia a dia, não como uma obrigação em decorrência do título que têm do cargo que ocupam, ou do local em que estão, mas por amor aos outros. Porque amam a Deus de todo o coração, servem às pessoas com paixão. Voluntários que são o reflexo do amor de Deus e de forma prática não se limitam ao título, mas inspiram pelo serviço. Voluntários que saem do "Lugar Santo" e andam pelo "átrio" tocando nas pessoas e se importando com elas. Servem a algumas em uma instituição e se importam com outras fora dela.
Em resumo, adoram a Deus, amando e servindo às pessoas.

O voluntário sacerdote

Será que não nos identificamos com essa história? Quantas vezes a necessidade dos outros já não nos chama mais a atenção? Quantas vezes mudamos de rota para não cruzar com os "invisíveis" da sociedade? Podemos julgar o sacerdote da parábola de Jesus? Que posição ou título carregamos que nos tem impedido de amar e servir às pessoas? Será que servir não é algo para um escalão inferior?

Talvez o Espírito Santo esteja falando ao seu coração e diga o quanto você tem agido da mesma forma. Já não é hora de você não se limitar ao "Lugar Santo" e tocar nas pessoas independentemente de onde elas estejam? Talvez o seu "Lugar Santo" hoje em dia seja a sua igreja local. Porém, entenda com maturidade o que quero dizer: é certo que chega um momento em nossa caminhada que ir à igreja não é mais o suficiente, é preciso amadurecer e, com isso, ser Igreja onde quer que estejamos. Precisamos conseguir sair do "Lugar Santo" sem que ele saia de nós.

Deus deseja ver verdadeiros voluntários sacerdotes, pessoas reais que amam a Deus profundamente e refletem esse amor no dia a dia. Vamos nessa?

Capítulo 4
O voluntário levita

Já falamos um pouco sobre a origem dos levitas, mas é bom lembrar que eles foram levantados para servir diretamente no templo. Eles tinham a função de cuidar, da casa de Deus. Por isso, viviam e eram sustentados por aquilo que o povo levava ao templo como oferta a Deus. Tratava-se de uma forma determinada por Moisés para manter o serviço deles em operação constante.

Um levita ama o que Deus ama e cuida do que Deus cuida. Isso, no que se refere à casa de Deus, de forma mais ampla, quer dizer que ele zela por algo que é o mais precioso aos olhos de Deus, ou seja, as pessoas. O levita foi chamado para servir a Deus servindo às pessoas.

Imagine o semblante daquele líder ao ouvir Jesus mencionar a atitude do levita, uma pessoa acostumada a ajudar as pessoas, porque essa era sua função no dia a dia. Com certeza, o perito na lei já estava acostumado a ver no templo aquele "exército" todo, espalhado por todos os lugares, cuidando da casa de Deus.

> "E assim também um levita; quando chegou ao lugar e o viu, passou pelo outro lado" (Lucas 10.32).

Em resumo, o levita pensou: "Eu faço, não fazendo!".

Isso não pode ser verdade. Ele passou e não fez nada? Viu e passou pelo outro lado? Como isso pode acontecer com duas pessoas consideradas exemplos? O pior de tudo é que o perito na lei começou a pensar que isso acontecia com ele da mesma forma. Como julgar os dois? Quanto aquela conversa estava mudando sua própria mentalidade. Quanta verdade havia naquela história!

Uma pessoa chamada para cuidar do que Deus ama deve entender que o ser humano é mais importante do que coisas como paredes, cadeiras, som e iluminação. Um verdadeiro levita serve a Deus servindo às pessoas, porque só faz sentido sermos Igreja (corpo de Jesus) e servimos à igreja (instituição) se estivermos ocupados com atividades, sejam elas quais forem, que tenham a ver com pessoas.

Idolatrar a instituição não pode ser confundido com amor a Deus. O organismo vivo, que é a igreja, não pode ser confundido com uma organização. Quanto do nosso tempo tem sido gasto naquilo que Deus nem pediu? Não podemos confundir as nossas boas ideias com as ideias de Deus. Se nos ocuparmos com as nossas, não teremos tempo para as dele.

Jesus é o cabeça da Igreja, aquele que a edifica com a Palavra e a santifica com o Espírito Santo, mas tudo isso porque ele em primeiro lugar ama e veio dar sua vida em favor da humanidade. Igreja tem a ver com pessoas, na verdade é feita de pessoas para alcançar pessoas.

É bem possível que o levita da parábola estivesse tão focado na função que exercia no templo que ficou cego para o que acontecia fora dele. Seu mundo era dentro de uma organização, e aqui mora o perigo que ronda nosso dia a dia. Que agenda estamos cumprindo a ponto de focar números, orçamentos, despesas, construções e esquecer do que na realidade é sucesso para Deus?

Deus está à procura de levitas, sim, homens e mulheres que amam e servem de todo o coração na casa de Deus, mas que entendem que isso diz respeito às pessoas. O que adianta ter estrutura física se o objetivo principal não é a transformação do ser humano? O verdadeiro sentido de uma igreja é quando todo o tempo das pessoas, todos os recursos, todas as atividades apontam para Jesus e dessa forma o ser humano tem esperança de vida eterna e o caráter transformado. Se o sacerdote ama a Deus, o levita ama a casa do Senhor também. Amemos, envolvamo-nos, invistamos na igreja, mas que jamais nosso coração se afaste do que realmente importa.

> Os justos florescerão como a palmeira, crescerão como o cedro do Líbano; plantados na casa do SENHOR, florescerão nos átrios do nosso Deus. Mesmo na velhice darão fruto, permanecerão viçosos e verdejantes, para proclamar que o SENHOR é justo. Ele é a minha Rocha; nele não há injustiça. (Salmos 92.12-15)

> Alegrei-me com os que me disseram: "Vamos à casa do SENHOR!". (Salmos 122.1)

Como eu amo de todo o coração a igreja de Cristo! Na verdade, tenho uma dívida de gratidão por tudo que conquistei na igreja. O que se referir à igreja, estou dentro, dou tudo de mim. Acordo pensando na igreja, almoço falando dela e vou dormir sonhando com a beleza que ela representa na sociedade. Concordo plenamente com a frase bem conhecida: "A igreja é a esperança do mundo!".

Mas por um tempo percebi que meu amor pela igreja estava se tornando algo não muito saudável para mim, porque na realidade eu a estava confundindo com a organização; o que, embora seja importante, não é o que Deus leva em conta.

O voluntário levita

Quantas atividades fazemos sem Jesus pedir? Levou tempo para eu digerir isso. E como foi saudável a mudança de mentalidade de valorizar o que realmente Deus valoriza e fazer uma pergunta difícil, mas necessária: Para Deus, o que é sucesso na igreja? Nada pode estar acima das pessoas. Vi que minha agenda tinha de se voltar para o serviço às pessoas e para a edificação de cada uma delas em sua jornada para a eternidade.

> "Aquele que tem ouvidos ouça o que o Espírito diz às igrejas."
> (Apocalipse 2.29)

Precisamos cuidar da casa de Deus. De fato, precisamos ser verdadeiros levitas que se levantem com o fim específico de zelar pelo que Deus leva a sério. Adianto que todos fomos chamados para cuidar da igreja e para isso precisamos ouvir de forma correta o que o Espírito Santo diz e ensina. Se Jesus se dedicou a isso enquanto esteve na terra e levantou pessoas para construir isso, é porque a igreja é algo com o qual Deus se importa. Deus, na verdade, quer nos ensinar a sermos os levitas que ele aprova. Jamais Jesus contaria uma história como essa para criticar ou falar mal de uma pessoa tão importante no Reino de Deus; portanto, desejar ser um voluntário levita agrada muito a Deus. A igreja precisa de levitas. Deus continua chamando trabalhadores!

No entanto, o outro convite é de arrependimento, pois é necessário verificar com sinceridade de coração onde fracassamos no cuidado com a casa de Deus, no amor e no serviço. O Espírito Santo adverte:

> "Lembre-se de onde caiu! Arrependa-se e pratique as obras que praticava no princípio" (Apocalipse 2.5).

Arrependimento é mudar de mentalidade, pensar segundo a Palavra de Deus, ter a mente de Cristo, ser um levita com um coração transformado. Imagine você vivendo como um voluntário que ama profundamente a Igreja de Jesus e contribui com ele na edificação e no crescimento do Corpo de Cristo. Que essa história mude sua mentalidade, principalmente se você tem amado a casa de Deus, mas se esquecido do que ele considera o mais importante. Cuidar da igreja é um legado que tem sua riqueza, mas somente quando fazemos isso por meio do cuidado com o ser humano é que estamos sendo bem-sucedidos aos olhos de Deus.

Que sejamos verdadeiros levitas, pessoas que amam a casa de Deus e servem às pessoas!

Capítulo 5
O voluntário samaritano

A terceira pessoa mencionada na parábola foi o samaritano, a quem Jesus não chama de "bom samaritano", como normalmente se ouve falar.

Nesse texto, talvez Jesus queira chamar a atenção para a importância das três personagens — o levita, o sacerdote e o samaritano — no nosso meio, no seio da sociedade e no meio da igreja.

Eu bem que gostaria de estar naquele dia para ver a reação final daquele líder quando Jesus mencionou o samaritano. E é bom você saber quem eram eles e por que acredito que ele ficou espantado.

Historicamente, os samaritanos constituíam um povo miscigenado, composto de gentios, incluía também israelitas remanescentes da terra, em decorrência da tomada do Reino do Norte pelos assírios em 722 a.C. Levadas para o cativeiro as dez tribos do Norte, permanecera apenas o Reino do Sul, Judá, com a capital em Jerusalém. Segundo o relato bíblico, o rei da Assíria trouxe pessoas da Babilônia, de Cuta, de Ava, de Hamate e Sefarvaim e as fez habitar nas cidades de Samaria. No lugar do Reino de Israel, surgia propriamente o povo samaritano (cf. 2Reis 17.24ss).

As relações dos samaritanos com os judeus, e vice-versa, foram em geral negativas durante toda a Antiguidade. Existia entre eles um ódio recíproco. Depois do sucesso da Revolta Judaica contra os selêucidas, o novo reino dos hasmoneus, governado por João Hircano I, conquista Siquém e destrói o templo do monte Gerizim (108 a.C.). Os samaritanos tornam-se súditos de um Estado que não os considerava judeus. Contudo, Flávio Josefo, historiador judeu, informa que, até a época do procurador romano Copônio (6-8 d.C.), o templo de Jerusalém estava aberto aos samaritanos. Os samaritanos seguiam uma forma modificada da Lei de Moisés e acreditavam que o local correto de adoração a Deus era o monte Gerizim, em Samaria, não o templo de Jerusalém. Os judeus, por sua vez, desprezavam os samaritanos porque estes distorciam as Escrituras.

Voltando à nossa história, com certeza aquele líder achou estranho Jesus citar o samaritano agindo de forma completamente diferente do sacerdote e do levita. Como pode isso? Imaginar sair alguma coisa boa de uma pessoa cuja origem é tão criticada? É mais fácil prejulgar uma pessoa pelo exterior. Acredito que Jesus fez questão de confrontar todos aqueles que estavam ouvindo sua parábola. Quem diria que o samaritano fosse justamente a pessoa que ajudaria aquele homem ferido?

> "Mas um samaritano, estando de viagem, chegou onde se encontrava o homem e, quando o viu, teve piedade dele. Aproximou-se, enfaixou-lhe as feridas, derramando nelas vinho e óleo. Depois colocou-o sobre o seu próprio animal, levou-o para uma hospedaria e cuidou dele. No dia seguinte, deu dois denários ao hospedeiro e lhe disse: 'Cuide dele. Quando eu voltar, pagarei todas as despesas que você tiver." (Lucas 10.33-35)

Diante da situação, o samaritano entendeu e agiu de acordo com o Grande Mandamento: *amar e servir*. Ele agiu conforme a cultura do Reino de Deus: *servir*. Não era sua função nem obrigação, mas mesmo assim agiu. Amou e serviu fora do ambiente de trabalho; ele não perdeu a oportunidade que estava diante dele. Ele foi responsável; era preciso fazer, e ele fez. Em resumo, pensou assim: "Eu não sou, sendo, e não faço, fazendo!".

Na parábola, o samaritano muda o curso de seu caminho, investe em alguém que não lhe daria nada em troca, usa o que tinha em suas mãos, paga para ver o homem curado e ainda diz que pagaria mais caso fosse necessário. "Como assim?" — deve ter pensado o perito na lei.

Quem sabe seria essa a grande mensagem do amor de Deus em toda a Lei, mas que ele não havia entendido? O que adianta ser um perito na lei, ensinar os outros e não praticar o que é importante para Deus? Quanto ele tinha sido insensato e quanto tempo havia perdido.

Analisando o samaritano do ponto de vista da nossa realidade, ele se importou com o ser humano. Ele nos inspira a viver a igreja da segunda-feira, ou seja, a que ultrapassa o culto do domingo. Ele consegue enxergar os invisíveis da sociedade. Serve com o que tem nas mãos e assume a responsabilidade quando o assunto é servir às pessoas. Se for preciso, paga para servir, porque servir tem um custo e, em se tratando de pessoas, paga-se novamente. Para ver uma pessoa transformada, é preciso pagar o preço. Para ver uma família transformada, é preciso pagar o preço — ou um jovem com propósito de vida; uma vida na eternidade. Porque, em se tratando de servir às pessoas, é necessário fazer e voltar a fazer até que haja resultados.

O voluntário samaritano

Algo que chama mais atenção no samaritano é que ele não carregava nenhum título; simplesmente ele mesmo. Para Jesus, importa quem você é, não o título que carrega, nem como as pessoas o chamam; o importante para Deus é que sua vida faça toda a diferença. Sua função e seu propósito no Reino de Deus são a grande riqueza. Servir não se trata de ter título, mas, sim, de ter coração e agir.

Esse é o tipo de voluntariado que faz falta em nossos dias. Deus anda à procura desses samaritanos nos condomínios, nas escolas, nos escritórios, nas empresas, nos governos e em todos os lugares da sociedade. O voluntário "samaritano" vive esta verdade: Não é onde o Senhor quer que eu sirva, e sim a quem o Senhor quer que eu sirva!

Quando é que estamos agindo dessa forma? Qual tem sido nossa atitude quando não têm relação com *nossas funções e obrigações*? Quais são os "invisíveis" da sociedade de hoje? Temos alcançado os que são desprezados pela sociedade, mas que para Deus são importantes? Acredito que precisamos urgentemente desenvolver na igreja e na sociedade uma cultura de amar e servir; somente dessa forma viveremos o verdadeiro sentido do que significa ser sacerdote, levita e samaritano no contexto ensinado por Jesus.

Como? A resposta está na parábola, ou seja, Jesus é o centro da mensagem, e ele deixou claro que foi o único caminho para vivermos como verdadeiros voluntários. Ao contar essa narrativa, vemos com clareza que ser voluntário passa por uma transformação de vida, de perspectiva, de valores, por uma forma diferente de olhar para os outros. Isso não se consegue de um dia para o outro nem por vontade própria, mas pela presença de Jesus em nosso ser.

Jesus é o servo maior; ele é o verdadeiro voluntário. Ao conhecer sua história, encontraremos o verdadeiro sacerdote, o verdadeiro levita e o verdadeiro samaritano. Ao seguir a Jesus, seremos os verdadeiros voluntários que Deus procura.

O final da parábola é um recado para todos nós, como o foi para o perito na lei:

> "Qual destes três você acha que foi o próximo do homem que caiu nas mãos dos assaltantes?"
> "Aquele que teve misericórdia dele", respondeu o perito na lei. Jesus lhe disse: "Vá e faça o mesmo" (Lucas 10.36,37).

"Vá e faça o mesmo" é a marca de Jesus. O Mestre sempre nos chama a pôr em prática o que ele nos ensina. Simples assim. Ele disse ao perito na lei que fosse e agisse da mesma forma.

Eu sonho em ver este mundo sendo transformado pela cultura do amor e do serviço. Pessoas que no dia a dia nasceram para isso e mudam com suas atitudes o ambiente de sua casa, seu lugar de moradia, o ambiente de trabalho, a comunidade em que vivem, a igreja onde se alimentam, as ruas, as praças. Eu vejo um mundo melhor quando reconhecermos que foi dessa forma que o próprio Jesus transformou o mundo em que vivia. Ele mesmo não veio para ser servido, mas, sim, para servir.

Eu vejo um mundo melhor quando servir ao próximo for fruto de uma vida que reflita o próprio Jesus, como se cada um fizesse no dia a dia o que ele faria em nosso lugar. Sim, eu vejo um mundo melhor quando as nossas ações forem fruto do Grande Mandamento.

> Pois estes mandamentos: "Não adulterarás", "Não matarás", "Não furtarás", "Não cobiçarás" e qualquer outro mandamento, todos se resumem neste preceito: "Ame o seu próximo como a si mesmo". O amor não pratica o mal contra o próximo. Portanto, o amor é o cumprimento da Lei. (Romanos 13.9,10)

O voluntário samaritano

Ser voluntário não é uma missão que pode ser realizada superficialmente; vimos como Jesus foi muito taxativo quanto a esse assunto. Ser voluntário é refletir Jesus em todos os sentidos. Não se trata de pessoas perfeitas, mas de pessoas abertas a serem canais de Deus. Por essa razão, são transformadas enquanto servem. Ao perceberem suas imperfeições, não se entregam a essas limitações; pelo contrário, sabem que possuem algo que faz diferença na vida de outras pessoas.

Os verdadeiros voluntários sabem que já foram agraciados por Deus ao serem alcançados por seu amor, uma dívida que jamais será paga. Por isso, servem com a compreensão de que não se trata de esperar para ter e depois servir; na verdade, já recebemos, e por essa razão servimos.

Parte II
O voluntariado

Capítulo 6
Voluntariado como cultura

Quando você pensa em valores, princípios e crenças que valoriza e das quais não abre mão, está diante de uma cultura. Cultura é aquilo que faz parte de você e que não se tem como negar. Trata-se muito mais de como fazemos as coisas; portanto, é o retrato exato do que as pessoas percebem. É a cultura que atrai as pessoas para o ambiente ou as afasta completamente. Por meio dela, a visão é transmitida de forma prática. Em resumo, é a forma segundo a qual pensamos e fazemos as coisas.

A cultura tem implicações em qualquer organização e, em se tratando de igreja, é aí que pesa a nossa responsabilidade como líderes, porque a verdadeira cultura que transforma o ser humano e consequentemente a sociedade é a cultura do Reino de Deus. Somos responsáveis em estabelecê-la e deixá-la fluir em nosso meio.

A cultura do Reino atrai as pessoas para os lugares certos, além de ajudar a desenvolver as pessoas. Quanto mais eficaz for a cultura, mais as pessoas naturalmente fluirão em seus dons e talentos e encontrarão propósito de vida.

Para criar uma cultura, é necessário investir tempo, ensinar com eficácia, ter constância e disciplina, e muita intencionalidade, ou seja, saber por que se faz o que se faz.

Para auxiliá-lo na prática, escreva aquilo em que você de fato acredita e que realmente é o retrato de sua organização. Escreva suas crenças sobre Deus, você mesmo, os outros, a igreja, o futuro, sua família, seu chamado. Não é o que você gostaria de ser e ver, mas o que você é. Depois da lista feita, seja honesto e verifique se os dados coincidem com a verdade do que você é, bem como da sua organização.

Quais são suas crenças? Você acredita nas pessoas? Investe nelas e lhes dá poder de ação? Se a resposta é não, então você não acredita! Acredita no poder do voluntariado? Você serve? Caso contrário, não acredita. Coisas simples assim.

Na verdade, sua cultura é aquilo que você é. Perdoe-me pela insistência, mas observo que, se não formos bem exaustivos nesse conceito, não adianta falar sobre a cultura do voluntariado, porque não se trata de um método, mas de um princípio do Reino de Deus.

A primeira pergunta que as pessoas sempre me fazem nestes anos todos sobre a cultura do voluntariado é: "Como vocês fazem para ter tantos voluntários?". Percebo que muitos líderes querem o resultado, embora não estejam prontos para criar uma jornada de ensino, de inspiração, de paciência a fim de esperar que seja algo que faça parte do coração das pessoas, não apenas um ato emocional.

Portanto, levantar voluntários é uma cultura, não um método.

Vou explicar qual é a diferença entre ambos. Um método se copia e se instala, mas, com o passar do tempo, cai no esquecimento das pessoas, porque não é algo que foi implantado no coração, e sim na mente. No método, as coisas são feitas friamente porque são geralmente impostas pela liderança, que quer ver a coisa funcionar. No método, o líder investe todo o seu esforço e, caso seja positivo, o crédito é dele, não algo marcado por um sentimento de pertencer a uma causa conjunta, compartilhado por todos. O perigo de copiar é não entender o que está por trás e não levar em consideração a própria realidade, que, muitas vezes, é totalmente diferente de quem idealizou o método. Outro perigo é o modismo: porque todo mundo faz, quero fazer também.

Na tentativa de buscar um método, muitas vezes o líder não leva em consideração o tempo de maturação, ou seja, não respeita o processo adequado. Leva tempo para se colher os frutos de uma cultura do voluntariado. Lembro-me de que, desde a primeira vez que falamos sobre implantar essa cultura até ser possível ver os frutos como realidade, foram necessários pelo menos de cinco a sete anos. Isso quer dizer que levou um longo tempo para literalmente expressarmos que a cultura estava disseminada, para termos um número adequado de voluntários e, mais do que isso, para que realmente o grupo entendesse o que estava no nosso coração sobre o serviço às pessoas. No início, perdemos companheiros de caminhada que não entenderam o princípio por trás de tudo e outros por não perceberem que cada pessoa tem sua forma de captar as coisas.

Quem ler isso, pode ser levado a pensar que sou contra métodos; pelo contrário, os métodos têm seu valor e são necessários para o processo de implantação, bem como para a continuidade. No entanto, só fazem sentido quando temos a certeza daquilo que queremos, do que realmente se tornou a nossa cara, daquilo que somos realmente.

Hoje em dia, como o voluntariado virou uma cultura, temos nossos métodos para captar novos voluntários, métodos de treinamento, manuais dos departamentos, e assim por diante.

Mas veja que o método em si é algo secundário; importante, mas nem sempre determinante.

A cultura vem pelo ensino

> Quando paramos de aprender, nos esquecemos do que já sabemos. (Salomão, conforme Provérbios 19.27)

A cultura do voluntariado é primeiramente um princípio de Deus, por isso tem como consequência a transformação do coração. É fruto do reflexo de Jesus na vida da pessoa. Ser voluntário é amar a Deus e servir às pessoas. Não tem como ser diferente. Por isso, para implantar essa cultura, primeiramente se exige ensinar e depois ensinar, depois continuar ensinando.

Exagero? Que nada! Quantos líderes desistem no meio do caminho. Quando se insiste no ensino é porque se valoriza a mudança de mentalidade. Ensinar a verdade sobre ser voluntário significa estabelecer a liberdade de se tornar um voluntário pela mudança do coração. Ensinar é determinar o fundamento sobre o qual a cultura se estabelece.

No ensino, mostra-se "o que" é servir, "por que" servir, "como" servir e "a quem" servir. Quando essa cultura é ensinada pela Palavra, não tem como não haver transformação. Na prática, o ensino mostra que as pessoas não nascem sabendo servir, mas se trata de algo que se desenvolve. Ensinamos o óbvio e seus detalhes; somos claros naquilo que esperamos de quem serve.

Vejo muitos líderes agirem na presunção de que as pessoas já sabem determinado assunto. Lembre-se de que o óbvio só é óbvio quando dito. Mesmo depois de dito, lembre-se sempre de que o que é óbvio para mim pode não ser para você e certamente não será para um novo voluntário. Não há nada melhor do que a clareza! E mais, como líderes, devemos ser responsáveis nesse aspecto também, não podemos cobrar ou esperar algo que não ensinamos. Uma cultura só se torna realidade quando ela é ensinada exaustivamente. E como saber se as pessoas aprenderam? Primeiramente, quando a comunicação, a forma de falar das pessoas sobre o assunto, está disseminada. Preste atenção em quantas vezes as pessoas falam pelos corredores, pelas mídias sociais e sobre quando dizem sempre o mesmo. O pensamento, a mentalidade, transformou-se em ação prática.

Por último, avaliamos se o número de pessoas envolvidas tem crescido gradualmente e de forma sustentável. Em uma cultura saudável, as pessoas crescem, florescem e se multiplicam. Ensine continuamente e sem parar, mesmo que você pense que elas já sabem. Por experiência, há sempre algo a aprender.

A cultura vem pela inspiração

> Vendo a sabedoria de Salomão, bem como o palácio que ele havia construído, o que era servido em sua mesa, o lugar de seus oficiais, os criados e os copeiros, todos uniformizados, e os holocaustos que ele fazia no templo do SENHOR, ela ficou impressionada. (2Crônicas 9.3,4)

Quem tem o coração para servir inspira qualquer pessoa. Da mesma forma que a excelência chama a atenção dos demais, a cultura do voluntariado deixa impressionado o mais simples mortal. Tenho a certeza de que, quando você entra em um lugar onde há voluntários que servem, sua alma se preenche. Logo surgem os questionamentos: por que ou como é que fazem isso?

Há um poder na cultura do voluntariado; na verdade, a cultura do Reino tem poder mais do que qualquer outra. Não importa onde uma pessoa vive, ao servir qualquer poder se submete a ela; em outras palavras, o poder da pobreza vai embora, o poder da ingratidão é quebrado, a tristeza toma outro rumo, a violência acaba, a esperança nasce e se expande. Caso você queira inspirar outras pessoas, sirva! O serviço não trata apenas do bom funcionamento dos nossos cultos e departamentos, mas principalmente trata do envolvimento das pessoas nessa causa de viver para algo maior do que elas mesmas.

Eu sigo a linha de raciocínio de grandes líderes cristãos quando digo: "Depois de muito ensino, é preciso inspirar pelo exemplo. Veja bem, ensinamos o que sabemos, mas somente reproduzimos o que somos". Quando as pessoas ao redor perceberem que, antes do título e acima de qualquer posição social, somos também voluntários, elas passarão a servir.

Não temos noção do impacto que isso tem na vida das pessoas. Minha esposa, meus filhos e eu servíamos em várias áreas da igreja. Certa vez, eu estava no estacionamento quando uma pessoa me viu e perguntou se eu iria pregar, ao que respondi que naquele horário estaria ali como voluntário, por isso não poderia fazer as duas coisas; ou seja, a mensagem que emiti intencionalmente foi que servir no estacionamento era tão importante quanto pregar.

Quantas pessoas depois disso passaram a servir. Por favor, não entenda como uma regra, mas na ocasião foi necessário inspirar as pessoas sobre a importância do assunto pelo exemplo. Hoje elas sabem que, se for necessário descer do púlpito e carregar cadeira, montar o som, ficar na recepção, estou à disposição; o mesmo acontece com qualquer pessoa da igreja, não importa o cargo ou a posição que ocupe, porque qualquer que seja a tarefa, se o foco for o ser humano, o serviço é digno.

Quanto mais as pessoas servem, mais voluntários se levantam para servir. Tenha paciência e deixe que isso seja algo natural, não algo forçado ou imposto. Não é preciso pregar ou enviar mensagens criticando quem não serve. Pelo contrário, isso cria um ambiente de competição. Nem todos irão servir e, se não vão servir, essa é a oportunidade de Deus para os outros que querem fazê-lo. Inspire também pelo valor que cada voluntário possui, e não pelo que ele faz. Valorize o coração mais do que o serviço. Ame a pessoa, não o que ela tem a oferecer. O voluntariado não vem pela imposição, mas, sim, pela inspiração.

A cultura vem pelo treinamento

Quando ensinamos, precisamos treinar os voluntários; ao fazer isso, damos a eles a oportunidade de praticarem. O treinamento precisa ser direto, objetivo e claro. Em nossa experiência, falamos sempre o *porquê* por trás do o *quê*, e finalmente o *como*.

Em se tratando de recepção, por exemplo, falamos da veste adequada, do cabelo bem arrumado, da maquiagem, do bom hálito, da barba benfeita, da distância adequada para falar a uma pessoa, da forma correta de recebê-la, do tratamento a ser empregado, como senhor e senhora, evitando-se vocabulário deselegante ou íntimo, como queridinho, amorzinho etc.
O sorriso deve ser sincero, não forçado; em caso de se receber pessoas íntimas ou próximas, pode ser normal dar um abraço ou ter uma atitude mais carinhosa, dependendo da cultura de cada lugar. Isso porque as pessoas merecem respeito, merecem o melhor da nossa parte e merecem ser valorizadas.

Normalmente cada departamento possui seu manual de procedimentos e por meio deles o treinamento é realizado sistematicamente. Infelizmente, tenho percebido que alguns líderes utilizam esses momentos para orar, cantar, trazer uma palavra, quando na verdade o propósito do treinamento é outro. Deixo bem claro que orar, ler a Bíblia e adorar não são menos importantes, mas o momento não é para isso; claro que é preciso ter um dia com os voluntários para buscar a Deus e ser cada vez mais cheio de sua natureza. Mas o treinamento de voluntários não é um dia menos espiritual; pelo contrário, é uma preparação para uma batalha espiritual, para cuidar de gente e fazer isso da melhor forma possível.

Geralmente, nossos treinamentos se iniciam com uma palavra de encorajamento, de alinhamento seguido de *workshops* específicos para cada área envolvida. É um momento quando os novos voluntários são capacitados e conseguem entender o que se espera deles. Nesse dia, repetimos nosso compromisso com a excelência e com a seriedade com que tratamos as pessoas que Jesus nos tem confiado.

"[...] façam tudo para a glória de Deus", lemos em 1Coríntios 10.31.

Algo importante quando o assunto é treinar é ter um manual de cada área. De forma prática, escreva qual é o objetivo da área e o resultado esperado. Faça um breve relato do que é exigido de cada voluntário. Em alguns casos, especifique a vestimenta, o material necessário, a hora de chegada e tudo que facilite qualquer um a servir. Temos visto que o manual ajuda a descentralizar o departamento, bem como a tornar o serviço do líder mais leve. Cuidado com manuais longos demais e sem muita prática. Invista tempo nisso, e com certeza colherá frutos maravilhosos.

A cultura vem pela repetição constante

Continue fazendo como se você estivesse começando, ou seja, ensine, inspire e insista no treinamento. Uma cultura depende muito da pedagogia da repetição; portanto, nunca pense que todos já conhecem o assunto. Sempre há algo novo para aprender, e na repetição temos uma ideia mais clara de qual é o nível do grupo. Tenho percebido quanto é valioso ensinar a mesma coisa de forma diferente, e em cada sessão é visível como uma boa parte dos participantes reage como se fosse a primeira vez. Não se esqueça disto: o óbvio que não é dito não é óbvio!

Como saber se determinado assunto já está suficientemente internalizado nos voluntários? Aqui vai um conselho importantíssimo: isso será visível quando a comunicação estiver uniforme no grupo. Se todos falam a mesma linguagem, repetem determinadas palavras nos vários departamentos, de maneira natural, então é hora de seguir adiante com outros assuntos importantes.

Outra forma de fortalecer uma cultura pela repetição são as reuniões antes dos eventos, nas quais cada líder possui um conjunto de informações importantes que precisam ser lembradas e que farão diferença na hora do serviço. Crie o hábito de ter por escrito as informações; não confie na memória das pessoas. Faça uso do avanço da tecnologia para que essa tarefa seja muito mais fácil.

Capítulo 7
Voluntariado como chamado

Algo determinante sobre voluntariado é entender que não se trata de uma obrigação, mas, sim, de um estilo de vida. Tornar isso uma realidade é o maior desafio para a organização. Tenho percebido que, quanto mais apontamos para a causa suprema, que são as pessoas a serem beneficiadas, maior será o prazer em servir. Deixe claro que não é pela necessidade da organização, mas por uma causa justa e nobre, as pessoas. Somos muito cuidadosos com a nossa comunicação nesse aspecto. Prezamos por não dizer: "Precisamos de pessoas para isso ou aquilo"; optamos por: "Acontecerá isto e você tem a oportunidade de fazer parte". Enaltecemos o privilégio e a oportunidade de entrar em parceria com o próprio Deus para alcançar pessoas.

O que significa servir? Entendo que servir é um esforço que uma pessoa investe em favor de outra ou de uma comunidade, de cujo serviço outras pessoas se beneficiarão; além disso, é bom lembrar que não necessariamente quem está servindo receberá algo em troca. É a capacidade que alguém tem de simplesmente se importar com o outro e de se dispor de forma antecipada a atender a uma necessidade real. É fazer mais do que a obrigação e não desejar receber algum benefício por isso.

Vamos lá, meu nome é Costa Neto e, quando alguém chama meu nome, sei que se trata de mim; eu me apresento ou pergunto se a pessoa está precisando de algo. Imagino que seja justamente isso que todos fazem.

Agora imagine como se seu nome fosse mencionado a cada vez que você deparar com uma pessoa necessitada. Quando servimos em função de uma causa maior, para atender uma necessidade de um ser humano, um voluntário se apresenta porque para ele é como se estivesse ouvindo alguém chamando seu nome.

Com isso em mente, fico imaginando que era exatamente o que acontecia com Jesus. Ele ia ao encontro dos necessitados porque, em sua natureza de servir, escutava seu nome ser mencionado. Ele foi ao encontro de Zaqueu, ele passou pelo caminho de Mateus, deixou a multidão e foi sentar-se à espera da mulher samaritana. Nicodemos não teve dificuldade para encontrá-lo, porque Jesus já o aguardava. Ele fez questão de passar pelo caminho do cego Bartimeu. Quando Pedro o traiu, ele fez questão de ir ao encontro dele, não o contrário. Com relação à mulher flagrada em adultério, ele estava ali quando a trouxeram. Saulo tornou-se Paulo porque Jesus estava no caminho. Assim foi com a mulher do fluxo de sangue e com o centurião que precisava de ajuda.

Por isso, quando oramos, ele nos atende; sua natureza é servir. Na verdade, ele nasceu para servir. Eu e você sabemos muito bem quantas vezes ele estava à nossa espera nos momentos mais cruciais da vida. Quem serve escuta o próprio nome sendo mencionado, e essa é a razão pela qual a pessoa se dispõe. Isso eleva ainda mais nossa discussão. Precisamos nos posicionar de forma a encontrar e ser resposta de Deus para a necessidade das pessoas. Não se trata do que fazer "se" você encontrar alguém em necessidade no seu caminho, mas trata-se de você traçar o seu caminho, com o direcionamento de Deus, para isso. É uma decisão, não um acidente.

Quando o assunto é chamado, você com certeza tem seus heróis na Bíblia, mas me permita apresentar o meu, o apóstolo Paulo. Com base em sua vida, quero fazer alguns comentários importantes sobre o assunto em pauta.

> "Não cobicei a prata, nem o ouro, nem as roupas de ninguém. Vocês mesmos sabem que estas minhas mãos supriram minhas necessidades e as de meus companheiros. Em tudo o que fiz, mostrei a vocês que mediante trabalho árduo devemos ajudar os fracos, lembrando as palavras do próprio Senhor Jesus, que disse: 'Há maior felicidade em dar do que em receber'." (Atos 20.33-35)

Por que servimos?

Você precisa responder com muita honestidade a essa pergunta, porque ela vai revelar como e onde está seu coração. Não custa lembrar que é o coração que importa para Deus, e ele vai sempre querer saber qual é sua verdadeira intenção em servir. Em Jeremias, lemos:

> O coração é mais enganoso que qualquer outra coisa e sua doença é incurável. Quem é capaz de compreendê-lo? "Eu sou o SENHOR que sonda o coração e examina a mente, para recompensar a cada um de acordo com a sua conduta, de acordo com as suas obras." (17.9,10).

Em Éfeso, Paulo se apresenta para prestar contas à igreja e deixa bem claro um dos sólidos fundamentos sobre servir: não querer nada em troca, não levar vantagem sobre as pessoas, não cobiçar nada de ninguém, ter a motivação do serviço bem alicerçada no coração. Já mencionamos que ser voluntário é fruto de uma transformação interior, é carregar a natureza de Jesus em nós.

Por que servirmos? Porque Jesus fez isso e, como seus imitadores, vamos perceber que é impossível pagar o que ele fez por nós; desse modo, o verdadeiro voluntário é aquele que serve fundamentado pelo amor. Essa foi a razão de Jesus ter vindo ao mundo. Essa é a razão do nosso chamado: amar a Deus em primeiro lugar; por meio desse amor somos transformados para amar as pessoas. Sem o combustível do amor, o serviço fica pesado, torna-se obrigação, desistimos facilmente, não assumimos compromisso. Aqui tudo começa, na verdade é onde está o fundamento, a causa principal de um coração voluntário que agrada a Deus.

> Ainda que eu dê aos pobres tudo o que possuo e entregue o meu corpo para ser queimado, se não tiver amor, nada disso me valerá. [...] Assim, permanecem agora três: a fé, a esperança e o amor. O maior deles, porém, é o amor. (1Coríntios 13. 3,13)

Quando amamos, valorizamos o ser humano, não importa quem seja ele. Por meio do amor, servir não é uma obrigação, e sim um prazer, um estilo de vida. É impossível suportar adversidades e administrar conflitos se o ingrediente do amor não estiver presente. O amor blinda nosso ego, protege nosso coração, destaca a pessoa de Jesus e literalmente nos transforma em servos. Deixando bem claro, um servo somente é servo se for transformado pelo amor.

Quando chego à igreja e vejo inúmeros voluntários em diversas áreas, como no estacionamento, na recepção, na mídia e no berçário, fico a me perguntar o que eles ganham com isso. A resposta é simples: o prazer de um sentimento ímpar que só experimenta quem serve; sentimento esse que resulta do incomparável privilégio de entrar em parceria com o próprio Deus e de ser ativo na construção daquilo que ele diz que é importante — sua Igreja. Apesar de esse sentimento estar disponível para todos, só alguns decidem acessá-lo, e o próprio Deus chama-os os maiores do seu Reino. Ter desejo genuíno de servir ao próximo é a cultura do Reino. E, se falamos que desejamos servir a Deus, então é preciso servir às pessoas.

Uma das passagens na Bíblia que vale a pena mencionar neste contexto é quando Jesus expõe seu real motivo de ter vindo ao mundo:

> Quando terminou de lavar-lhes os pés, Jesus tornou a vestir sua capa e voltou ao seu lugar. Então lhes perguntou: "Vocês entendem o que fiz a vocês? Vocês me chamam 'Mestre' e 'Senhor', e com razão, pois eu o sou. Pois bem, se eu, sendo Senhor e Mestre de vocês, lavei os seus pés, vocês também devem lavar os pés uns dos outros. Eu dei o exemplo, para que vocês façam como lhes fiz" (João 13.12-15).

Sou apaixonado por esse texto. Aqui há uma das mais importantes características da natureza de Jesus: servir!

Para mim, a maior característica de um líder é ter um coração de servo. Descobrir, desenvolver e liderar as pessoas etc., todos são itens importantes, mas, se não houver um coração de servo, de amar e servir, o líder terá uma liderança frágil. Líderes que servem são fortes e ao mesmo tempo exercem uma influência exponencial.

Voluntariado como chamado

Quer saber se uma pessoa é líder de acordo com o padrão de Deus? Veja se o coração dele vibra ao servir.

Por que servimos? Porque a natureza de Deus é servir. Jesus mostrou que servir fazia parte de sua natureza. Não importava o local em que ele estivesse, nem com quem, nem mesmo a situação em que estava, sua atitude era sempre servir. Um assunto bastante natural em se tratando do Reino de Deus.

Em Cristo, nossa natureza original foi resgatada. Temos em nós essa natureza. Com o passar do tempo, nossa mente foi bombardeada pelo prazer de ser servido, e isso prejudica quem somos de fato. Pagamos, exercemos poder, vivemos a falsa sensação do bem-estar de ser servido. No entanto, é o contrário: quanto mais servimos, mais voltamos ao estado original. "Quando servimos, estamos sendo apenas quem naturalmente somos", afirma Steve Sjogren. Não se trata de prestar um serviço, mas de refletir a natureza de Jesus em nós. Não é preencher um lugar na igreja ou ter uma atividade nos cultos; é uma questão de mentalidade transformada, é enxergar que servir a Deus na prática é servir às pessoas expressando o amor de Deus a elas.

> Porque Deus tanto amou o mundo que deu o seu Filho Unigênito, para que todo o que nele crer não pereça, mas tenha a vida eterna. (João 3.16)

Há, nesse texto, duas palavras que definem o caráter de Deus e a mensagem que transforma o mundo: amar e dar. Não existe amor sem doação. Quando servimos, expressamos esse amor com a própria vida. Tenho visto que a mensagem que todo mundo entende é exatamente esta: amar e servir. Descomplicamos o evangelho de Jesus dessa maneira. Todas as igrejas que entendem e vivem essa verdade experimentam um crescimento incrível de pessoas transformadas pelo poder do evangelho de Jesus. Essa mensagem simples atrai as pessoas para Jesus. O Filho de Deus não veio para ser servido, e sim para servir!

Por que servimos? Porque a fé sem obras é morta.

> De que adianta, meus irmãos, alguém dizer que tem fé, se não tem obras? Acaso a fé pode salvá-lo? Se um irmão ou irmã estiver necessitando de roupas e do alimento de cada dia e um de vocês lhe disser: "Vá em paz, aqueça-se e alimente-se até satisfazer-se", sem porém lhe dar nada, de que adianta isso? Assim também a fé, por si só, se não for acompanhada de obras, está morta. [...] Assim como o corpo sem espírito está morto, também a fé sem obras está morta. (Tiago 2.14-17,26)

Ter fé também é servir. A fé e o serviço andam juntos. Complicamos demais o evangelho de Jesus, mas, quando deparamos com esse texto, percebemos quanto ele é simples e prático. Servimos porque fazer isso é ser coerente com o que Jesus viveu e ensinou.

É terrível ter uma igreja apenas de clientes, na qual o som, as cadeiras, a iluminação, a palavra, o louvor e praticamente tudo são para eles. De forma inconsciente, eles estão ali para receber. Sabe o que acontece com uma igreja assim? As pessoas se tornam críticas e reclamam de tudo e de todos. O texto é bem claro: de que adianta dizer que temos fé e não temos obras?

O serviço está no DNA de uma igreja madura. Quer ver sua igreja avivada, animada, unida? Comece a inspirar as pessoas ao serviço.

Voluntariado como chamado

Elas se sentirão participantes, assumirão a igreja como sua própria casa, verão na própria pele a dificuldade de lidar com as inúmeras críticas de "irmãos" que, no culto, adoram a Deus, mas são grosseiros no estacionamento com as pessoas. Enfim, a igreja cresce quando o espírito voluntário a envolve. Não se esqueça, a fé e o serviço andam juntos.

Como servimos?

Com amor. É praticamente impossível servir se o amor não for o combustível e a real intenção do coração. Quando amamos, não queremos nada em troca. Quando amamos, não importa o lugar, a hora e o que fazemos. Se pessoas serão beneficiadas, isso é relevante. Servir com o coração cheio de amor é o principal fundamento.

Voluntários cheios de amor servem com dedicação, eficiência, presteza e constância. Sejamos sinceros, todas as vezes que nos dedicamos a servir e o fizemos com amor, saímos mais satisfeitos do que as pessoas às quais servimos. Quando o combustível da alma é o amor de Deus, nenhum obstáculo é grande o suficiente para o que nos é proposto. Podemos ter milhares de pessoas servindo, mas, se o amor de Deus não estiver no coração de cada uma, será um serviço por pouco tempo e limitado. Uma equipe de voluntários cheios de amor é uma equipe unida e forte. Em nossa cultura, inspiramos os voluntários a primeiramente ser cheios do amor de Deus, e assim o serviço será bem feito.

Como servimos? Com excelência. Fazer mais do que bem feito. Fazer dando o melhor. Todo mundo gosta do que é feito com excelência. Talvez nem todos façam as coisas com excelência, mas todos amam o que é feito com esmero e diligência; isso é inegável.

A excelência tem um preço, custa caro. Mas o preço que se paga por algo mal feito é muito maior. Acredito que a excelência é também uma questão de decisão. Precisamos ser honestos quanto a esse tema. Temos excelência no que fazemos quando assim decidimos. Para isso, também é necessário ter pessoas de visão que decidem e querem que se faça tudo com um padrão de excelência. Isso também exige que haja um parâmetro, uma forma de medir e de se comparar.

Não adianta designar uma pessoa para organizar um grande evento, como casamento, aniversário, se ela nunca organizou nada ou nunca foi a um espetáculo, a um evento de tirar o fôlego, ou nunca participou de uma conferência nacional ou internacional. Fica complicado exigir excelência dessa pessoa.

Jim Collins chama esse princípio de "criatividade empírica", ou seja, chegamos a conhecer realmente algo depois de conhecê-lo, experimentá-lo, vivenciá-lo. Com essa bagagem, é fácil que a criatividade flua. Os detalhes fazem muita diferença para que haja excelência. O toque da simplicidade! A cereja do bolo! O morango na borda do copo! Não posso negar que isso é um dom. Aquilo que os arquitetos fazem com uma sala! A colocação do jarro, o tipo de planta, a luz ambiente. Isso faz toda a diferença. E isso tudo nem sempre quer dizer que é preciso muito recurso. Faça tudo para ter alguém talentoso, e assim você colherá frutos enormes.

Como servimos? Com compromisso. É como falamos na Videira: "O segredo é ser um colaborador com coração de voluntário, e um voluntário com compromisso de colaborador". É comum você me ver falando de voluntário profissional. Parece um contraste, mas não é. Deixe-me explicar. Considero que um verdadeiro voluntário tem algo diferente em relação a um profissional ou colaborador de uma instituição. E esse algo é o fato de ele não ser remunerado financeiramente, mas ter todos os outros elementos: pontualidade, assiduidade,

Voluntariado como chamado

compromisso formal e resultado. Essa é minha definição de comprometimento. Servimos dessa forma. O amor constrói um ambiente de voluntariado saudável. A excelência sustenta essa atmosfera, mas somente o comprometimento faz expandir em todas as esferas o espírito voluntário.

Um voluntário comprometido produz mais voluntários comprometidos. Isso é impressionante! Anote e não se esqueça: Voluntariado = Amor + Excelência + Comprometimento. Acredito que agora você deve ter me entendido quando falei no começo do *voluntário profissional*. Servir não é fazer algo de qualquer jeito. SERVIR É COMPROMETER-SE COM UMA CAUSA.

Como servimos? Com o coração. O serviço voluntário exige coração. Quando estamos com o coração no serviço, significa que estamos cem por cento envolvidos. Significa também dizer que nossa intenção ultrapassa o que se vê no exterior. Fazer é consequência do ser. Voluntários que servem com o coração não se preocupam onde servem, e sim a quem servem. Servimos primeiramente a Deus. É Deus quem nos recompensa. Nossa preocupação é com a maneira com que Deus nos vê servindo. Quais são nossas motivações quando servimos? Quais são nossas reais intenções? Servir com o coração quebra as posições de destaque, os holofotes e a publicidade. Quem serve com o coração reflete verdadeiramente o caráter de Deus.

A quem servimos?

A todos, sem distinção. Para você entender melhor, deixe-me ilustrar esse tópico com o exemplo de Jesus e seus discípulos. Você há de concordar que ele amou todos e os serviu como ninguém. O problema é que somos tendenciosos a servir a alguns, aos quais chamo "o grupo João". E quem são eles? Aqueles que são extremamente leais a nós. São aqueles aos quais confiamos até mesmo a própria mãe, como fez Jesus.

O perigo de servir somente a esse grupo de pessoas é ficar na zona de conforto, ter receio de uma atitude não apropriada de algumas pessoas. O nosso grupinho é o nosso gueto; pessoas queridas com as quais queremos estar o tempo todo; são os que muitas vezes retribuem o que recebem. Mesmo de forma inconsciente, podemos cair no erro de servir a essas pessoas para receber, e aqui está um perigo incalculável. O lado bom da história é que esse grupo pode ser o próximo grupo de voluntários; a natureza dessas pessoas é de cuidar, amar e servir. Quem sabe se, ao servi-los, os encorajamos a fazer o mesmo, até porque são pessoas próximas a nós.

Contudo, no nosso meio, necessitamos servir também ao "grupo Pedro". As pessoas desse grupo, por mais boa vontade que tenham, falham quando mais necessitamos. Elas estão ao nosso lado, nos defendem, aprendem rápido, mas infelizmente são pessoas do momento, não da jornada. Quando as provações e as dificuldades aparecem, infelizmente não correspondem de forma apropriada, como esperávamos. No entanto, no fundo, elas possuem um potencial enorme. São bem ativas e sempre se disponibilizam de imediato.

A atitude correta é tratar de imediato com elas assim que uma atitude inadequada se manifestar. Devemos tratar questões de caráter de forma amorosa, mas direta. Quando realmente aprendemos a servir às pessoas com essas atitudes, ampliamos o nosso amor, pondo em prática o evangelho de Jesus. É impressionante ver como crescemos e percebemos nossa fé se alargar quando agimos em conformidade

Voluntariado como chamado

com a Palavra, mesmo que nosso sentimento aponte para outra atitude. Embora seja um campo de batalha, o serviço também é um prazeroso campo de aprendizado.

Devemos também servir ao "grupo Tomé", outro desafio, bem diferente. Imagine aquele grupo de pessoas que sempre está pedindo provas de amor. Em geral, são reativas; ficam olhando para ver o que vai acontecer. Precisam ver para crer e exigem que cumpramos o que prometemos. Muitas vezes, são extremamente carentes.

E isso é muito para nós? Vamos ficar tristes com isso? Custa mostrar que realmente nos importamos com elas? Se querem uma prova de atenção, então vamos dar-lhes atenção. Se desejam receber um abraço ou um telefonema, façamos isso. É bom saber que esse grupo de pessoas se transforma em fiéis companheiros quando percebem que realmente são amadas. Elas passam a ser defensoras com todo o vigor depois que são conquistadas. Mesmo que por um momento seja um peso a mais servi-las, não podemos desistir dessas pessoas. Quantas vezes agimos da mesma forma? Não custa lembrar que sempre temos um Tomé dentro de nós a ser tratado.

Servir ao "grupo Bartolomeu" também é necessário. Você já leu algum escrito desse discípulo? Sabia que ele foi um dos Doze? Sabia que ele esteve com Jesus em todos os momentos? Três anos inteirinhos com o Senhor. Foi escolhido, ensinado, cooperou, mas nunca percebemos nada de extraordinário na vida dele. Quem faz parte desse grupo de pessoas? Quem são eles? São os invisíveis, aqueles cujos nomes desconhecemos, cujas histórias são desconhecidas, mas são seres humanos, pessoas pelas quais Cristo morreu na cruz.

Esse grupo de pessoas tem uma característica em comum: normalmente gostam de estar no anonimato, mas possuem um coração enorme. Quando nos aproximamos, são extremamente generosas e bondosas. Embora sejam muitas vezes esquecidas, isso não as incomoda; e, quando começam a servir, buscam aquelas pessoas que como elas são invisíveis e deixadas de lado. Crescemos muito quando servimos a essas pessoas! Tenho visto que o maior ensino é reconhecer que um dos pilares para o serviço voluntário é servir às pessoas por aquilo que elas são, não por aquilo que possuem ou fazem.

Também é necessário servir ao "grupo Judas". Já mencionamos por que servimos e como servimos, e se, de fato, levamos isso a sério, até a quem nos trai, aos críticos e àqueles que tentam atrapalhar — todos eles são um campo de treinamento para aprofundar o fruto do Espírito em nossa vida. Entenda bem, servir nem sempre envolve a outra pessoa, mas começa com uma atitude pessoal, uma decisão minha e sua. Não podemos escolher a quem diretamente servir, porque, antes de tudo, servimos a Deus; é a ele que servimos em primeiro lugar.

Servir a esse grupo é o grande teste de um coração verdadeiramente transformado. Já mencionamos que a cultura do voluntariado não se trata de um método; é, antes de tudo, uma transformação interior por meio de um profundo relacionamento com Deus. Quem já não teve um Judas na jornada? Servir, porém, não é sobre fazer alguma coisa na igreja; é uma forma de tratar nosso caráter e é um teste de fé.

Costumo dizer que, para sermos aprovados, precisamos assistir a algumas aulas, e em algumas nem sequer gostaríamos de nos matricular. A classe de Judas é uma delas. Deus sabe muito bem disso, e por sua soberania acabamos dentro dessa sala de aula. Quando tudo passar, seremos eternamente gratos a Deus por quanto crescemos na jornada de servir aos *Judas* na jornada cristã.

Acredite, sua comunidade experimentará uma dimensão espiritual nunca vista quando você deixar de ter membros clientes para ter membros voluntários. Para exercer algumas funções, encorajamos até mesmo os novos na caminhada cristã, porque entendemos que também é uma forma de eles serem tratados e se firmarem na igreja local. Muitos deles, na convivência com outros voluntários, começam a entender o evangelho de forma prática. Sim, temos a coragem de arriscar e sabemos que nunca teremos pessoas perfeitas. Com certeza, exigimos alguns critérios para determinadas funções, mas temos visto que servir tem ajudado muita gente a se firmar no evangelho e na igreja local.

Umas das minhas maiores alegrias é ver uma visão se realizando:

> **Eu vejo uma igreja onde cada membro é servo (voluntário) porque entende que servir é parte da natureza de Deus.**

Eu tenho um alvo em mente: 1 voluntário para cada 3 membros, ou seja, ⅓ da igreja servindo. Você deve se perguntar como é possível atingir essa marca. Ensine, inspire e dê oportunidade para que isso aconteça; saiba, porém, que não acontece da noite para o dia. É algo encantador quando você chega a qualquer uma de nossas igrejas e percebe essa cultura impregnada.

Meu desejo é que esse assunto o tenha inspirado e que em sua igreja ou organização a questão do serviço voluntário seja o que você tem de precioso.

Capítulo 8
Voluntariado como um exército poderoso

Na época de me apresentar ao serviço militar, eu já estava na faculdade cursando Ciências Contábeis. Mas o agente do governo me dispensou por excesso de contingente. Essa é uma terminologia usada principalmente no âmbito militar para justificar a dispensa de um excedente de pessoas dentro de um conjunto designado para executar uma tarefa ou missão eventual e temporária, nesse caso no serviço militar obrigatório, cujas vagas já haviam sido preenchidas.

Confesso que gostaria de ter tido a oportunidade de servir no Exército brasileiro. Meu pai e vários amigos vez por outra comentavam quanto o Exército contribuíra na formação de caráter e de vários outros valores que foram determinantes em sua vida.

Mesmo não tendo tido uma experiência militar, sou apaixonado por filmes de guerra, aqueles nos quais grupos militares entram em situações de risco em prol de um alvo ou em favor de uma minoria; militares que se importam com uma única pessoa e, custe o que custar, não desistem até ver cumprido o seu dever.

Quando militares morrem em confronto de guerra, são considerados verdadeiros heróis. Embora sempre penosa, a morte parece ter um sabor diferente. Quantas histórias marcantes, quanto patriotismo, quanto altruísmo, quantas vidas sacrificadas para que uma nação fosse salva.

Eu chorei inúmeras vezes assistindo ao filme do *Resgate do soldado Ryan*. Também fiquei extremamente comovido com o filme *Até o último homem*, no qual o militar norte-americano Desmond Doss se recusa a usar armas e descobre que sua missão é resgatar seus colegas feridos. Eu poderia listar filmes e mais filmes cujos protagonistas eram pessoas das Forças Armadas, verdadeiros heróis da História, guerreiros para com os quais a humanidade tem uma dívida impagável.

Você com certeza já começou a entender por que comparar os voluntários com esse contingente numeroso de pessoas que, se preciso for, estão dispostas a dar a própria vida em prol de outros seres humanos. É por isso que amo a cultura do voluntariado. Eu vejo isso na prática cada dia. Literalmente vejo pessoas que saíram da arquibancada e se alistaram para entrar em campo de corpo e alma. E não há preço tão alto que não valha a pena pagar.

Voluntários são heróis de guerra incansáveis; são pessoas que entram em determinado serviço que só sabe quem o experimentou. Carregam o peso da responsabilidade, mudam um ambiente, fazem coisas que no dia a dia nunca fizeram, mas estão dispostos a aprender porque sabem que aquilo precisa ser feito.

De forma bem direta, comparar os voluntários a essa elite das Forças Armadas me leva a destacar alguns princípios determinantes quando o assunto é servir às pessoas.

Liderança

Todo voluntário tem espírito de liderança. Ele entende perfeitamente e tem consciência de quando está sujeito a um líder e quando é ele quem lidera. Isso tem um significado importantíssimo, pois, sem um comando, não se realiza nenhum serviço. Não custa lembrar que liderar é inspirar outros extraindo o máximo de cada um para cumprir sua missão de vida. Insisto em dizer que cada voluntário precisa entender esta realidade: servir liderando e liderar servindo.

Algo que você verá ao servir é que todo voluntário percebe a necessidade de formar equipe. O trabalho de cada um sempre estará ligado a outro grupo; por isso, é preciso ter uma visão do todo para que as pessoas e as equipes se desenvolvam e o trabalho individual não venha a prejudicar a organização. Liderança e trabalho em equipe, portanto, é algo que está no coração do voluntário.

Você já deve ter lido que sucesso é sucessão. Quando se trata de amar e servir às pessoas, sempre precisamos ter alguém que esteja pronto para nos substituir em caso de doença ou qualquer imprevisto. Portanto, preparar seu substituto é a primeira atitude de um bom líder voluntário.

Deixar de exercer sua função por ausência é um erro terrível que tem sido difícil de erradicar em muitas organizações. Saiba que, quando você se compromete a fazer algo, o líder, a equipe, a igreja e as pessoas a quem você iria servir estão contando com isso. Sua ausência é maior do que você. Essa atitude demonstra falta de fidelidade e, além disso, é um risco para toda a organização, pois a equipe nem sempre sabe como lidar com a situação por não ter outros que substituam os faltosos.

Disciplina

> Trabalhem com entusiasmo e não sejam preguiçosos.
> Sirvam o Senhor com o coração cheio de fervor.
> (Romanos 12.11, *NTLH*)

Gosto da definição de disciplina segundo a qual a constância é a marca em uma pessoa que permanece firme até que a tarefa para a qual foi designada seja feita. Disciplina e fidelidade andam juntas; em outras palavras, é a capacidade de iniciar, continuar e terminar quantas vezes forem necessárias.

Algo importantíssimo na cultura do voluntariado é o trabalho feito com disciplina. Estar no horário, cumprir a tarefa, seguir o processo, ter meta clara, estar focado, todas são características de ter excelência e coração no que faz.

Fico deveras preocupado quando o voluntariado é comparado a serviço gratuito. Nunca foi e jamais deve ser visto de tal forma. Há um preço alto envolvido, e esse preço são pessoas, e isso já é o bastante para que a disciplina esteja presente. Ou o voluntário é disciplinado, ou deixa de servir. Não há como fazer do meu jeito ou do seu; pelo contrário, sempre haverá um processo a ser seguido, uma meta a ser alcançada e um tempo para que isso seja feito.

Outra forma de enxergar disciplina é encarar a dor; em outras palavras, é não fugir daquilo que vai requerer esforço, quer físico quer emocional, ou qualquer situação que custe suor. Pessoas disciplinadas fazem o trabalho que precisa ser feito, custe o que custar.

É necessário ter disciplina para servir no estacionamento quando o calor está terrível, ou debaixo de chuva e neve. É preciso muito amor quando temos de enfrentar horas e horas em pé para que as pessoas estejam bem acomodadas e de forma correta. Não é fácil aguentar horas e horas de ensaio para apresentar uma dança de cinco minutos. O que dizer quando o assunto é servir a crianças justamente naqueles dias em que todas estão a 220 volts e não há nada que as faça parar? E levar toneladas de som? Empilhar cadeiras? Limpar um salão do tamanho de um estádio de futebol? Você sabe muito bem do que estou falando; e a palavra para que tudo isso aconteça se chama disciplina.

O voluntário cheio de amor não foge da dor. Ele encara o desafio de fazer porque seu serviço fará diferença na vida de outra pessoa. Todo voluntário é disciplinado, ou aprende a sê-lo.

Criatividade

O serviço voluntário sempre será feito com poucos recursos, geralmente com poucas pessoas; portanto, a criatividade é algo inegociável. Na definição de criatividade, cabe muito bem a capacidade de fazer algo que todo mundo gostaria de fazer, mas não faz, mesmo que tenham todos os mesmos recursos.

A criatividade não depende do tamanho da organização ou do tamanho da equipe; ela surge quando ninguém imagina, brota quando menos se espera. Pessoas criativas são informadas, conectadas, sabem a diferença de copiar e de se inspirar em outros trabalhos. Sempre seguem alguém como modelo para ajudar a criar seu próprio padrão. São profundas sem serem complicadas, fazem com excelência sem a necessidade de luxo, são simples sem perderem a beleza da leveza; além disso, não se importam com a crítica, pois sabem muito bem quem são.

A criatividade nasce quando não há medo de errar e ninguém será punido por isso. É dar oportunidade às pessoas e ter a coragem de trabalhar com os diversos temperamentos e pessoas diferentes. É também não dispensar nenhum recurso e saber que tudo, tudo mesmo, pode ser aproveitado.

Já observei que a criatividade nasce quando uma crise é instalada ou o que se pede para fazer é praticamente impossível de ser feito com as pessoas e os recursos presentes. Desafie uma equipe que tenha coração, amor por pessoas e visão do Reino diante de uma tarefa praticamente impossível de ser feita. Você vai se admirar. Nunca duvide da capacidade do ser humano de criar. Se temos algo que trouxemos da natureza de Deus é a capacidade criadora e criativa. Ao escrever este livro, quantas coisas antes ditas impossíveis foram feitas com voluntários dedicados e amorosos, quantas salas e quantos prédios foram totalmente refeitos praticamente do nada e viraram ambientes saudáveis com os recursos dos próprios voluntários. Quanto suor, lágrimas derramadas, noites e horas incontáveis investidas para que outros usufruíssem. Eu chamo isso de amor verdadeiro e demonstrado; por isso, Deus derrama criatividade.

Estratégias

> Os planos bem elaborados levam à fartura [...].
> (Provérbios 21.5)

Ter diversos planos e saídas para situações variadas e agir de forma rápida em situações inusitadas são coisas comuns quando se trata do dia a dia de quem serve. Da mesma forma que acontece nas Forças Armadas, qualquer trabalho deve ter um motivo como base. Desse modo, as ações são proativas e se está preparado para situações inesperadas.

O trabalho voluntário não pode ser feito de forma ingênua, amadora ou reativa. A razão de eu ter tocado anteriormente no assunto é que há a necessidade de treinamento constante. Equipes voluntárias necessitam estar preparadas e atentas para qualquer situação.

As estratégias são necessárias quando se tem um plano desenvolvido e metas claras; então faz sentido sentar e verificar quais caminhos tomar do ponto de partida rumo aonde queremos chegar. Se é para fazer bem feito, em cada área temos de ter uma estratégia diferente. O voluntariado não se faz de improviso, pois, quando se trata de pessoas e quando se faz para Deus, precisamos de intencionalidade e estratégia.

As estratégias não podem ser comparadas a simples ideias. Digo que o significado é bem mais sério. Falo em estratégia como algo planejado, ensinado, acompanhado, revisto se necessário for. Até porque não brincamos de ser voluntários. Mesmo que seja algo feito com prazer e leveza, não significa que seja feito com desdém ou de qualquer forma. Tenho certeza de que você entendeu o que eu quis dizer.

Altruísmo e empatia

> "Assim, em tudo, façam aos outros o que vocês querem que eles façam a vocês [...]". (Mateus 7.12)

Pensar e agir pelo próximo e, mais do que isso, se pôr no lugar dele, é a verdadeira cultura do voluntariado. Quando agimos assim, estamos refletindo o caráter de Jesus.

É comum ouvir de um soldado que não há como deixar para trás um companheiro de guerra. Se isso acontece no mundo das guerras, imagine você na cultura do Reino dos céus. Como o próprio Jesus afirmou, nossa atitude deve ser sempre a mesma de como gostaríamos de ser tratados.

Quando me ponho no lugar do outro, dou o meu melhor porque sei exatamente o que o outro passa e sente. Servir se faz com o coração porque entendemos o outro. Essas habilidades também nos ajudam a saber até que ponto podemos ir em nosso comportamento para com as pessoas. O fato de se colocar no lugar do outro ajuda-nos a adaptar nossas ações de acordo com cada

Voluntariado como um exército poderoso

contexto, pois não conhecemos a história de todos. Por exemplo, para alguns, um abraço pode ser invasivo; já para outros, pode ser tudo de que estão precisando. A questão é ter tato para identificar o momento e exercer altruísmo e empatia a cada nova situação.

Acredito de verdade que o altruísmo e a empatia são pilares dos mais importantes na cultura do voluntariado. De fato, era essa a natureza de Jesus com os demais. Por que Jesus chorou ao ver Maria e Marta se ele sabia que Lázaro voltaria a viver? Ele estava muito mais envolvido com a emoção e o coração das pessoas do que na solução em si, a qual já tinha em suas mãos. O sentimento de perda existia naquele momento, e Jesus se importava com as pessoas, por isso teve empatia e compaixão, pondo-se no lugar delas.

Espírito de equipe

> O corpo não é feito de um só membro, mas de muitos.
> (1Coríntios 12.14)

Falamos um pouco sobre isso no item liderança, mas permita-me entrar mais especificamente nesse assunto, dada a importância que tem em nosso tema.

Nunca devemos permitir que um voluntário faça tudo sozinho ou que ele não consiga trabalhar em equipe. Em primeiro lugar, porque o serviço voluntário deve ser feito com alegria; em segundo lugar, realizando o trabalho sem a ajuda de outros, podemos cair no erro de ter que parar pela exaustão.

É importante dizer que, no trabalho em equipe, o resultado é exponencial; crescemos com os dons e talentos de cada um; o senso de pertencimento é celebrado; todos levam o crédito do sucesso. Sinceramente, não acredito que alguém que sirva não consiga trabalhar com outras pessoas.

Trabalhar em equipe é dividir responsabilidades, confiar em pessoas, desenvolver e equipar outros. Na jornada de servir, mesmo que a responsabilidade seja individual, fazer algo em equipe é bem melhor, pois as responsabilidades são divididas, aprende-se a confiar nas pessoas e pessoas são desenvolvidas e equipadas. Além disso, certamente há uma grande lição no porquê Deus nos chama individualmente "membros" e nos chama em conjunto "Corpo". Sozinhos temos funções importantes, mas somente quando trabalhamos em conjunto é que a nossa parte ganha sentido completo.

Autorresponsabilidade

> Cada um exerça o dom que recebeu para servir os outros, administrando fielmente a graça de Deus em suas múltiplas formas. (1Pedro 4.10)

No começo deste livro, falamos sobre a parábola do samaritano e de quando este assumiu a responsabilidade de cuidar do homem ferido, ao contrário do que fizeram o sacerdote e o levita. Amar o próximo é chamar a responsabilidade para si. Saber que não cabe a outro fazer algo cuja solução está em nossas mãos.

Quando fazemos nossa parte, o todo agradece. O sucesso de um projeto é sempre o somatório do que todos fizeram, o conjunto de todas as equipes, o esforço de cada pessoa.

É digna de nota a frase *"cada um* exerça o dom que recebeu para servir os outros". Chamo atenção para "cada um", algo bem simples que faz toda a diferença. Um exército de voluntários somente tem força quando cada um assume sua responsabilidade e faz aquilo que se espera dele. O verdadeiro voluntário não é peso para outro; pelo contrário, é um suporte.

Voluntariado como um exército poderoso

Capacidade

> [...] Se alguém serve, faça-o com a força que Deus provê [...].
> (1Pedro 4.11)

Quando estamos no lugar certo e com a motivação certa, todos somos capazes. Agimos por saber exatamente a quem e por que servimos. Isso faz toda a diferença.

A pergunta que faz toda a diferença é saber quem somos. De fato, exercemos nossa verdadeira identidade quando sabemos a resposta a essa pergunta e consequentemente agimos de tal modo que alcançamos os melhores resultados buscando capacitação. O texto é claro: "faça-o com a força que Deus provê", ou seja, com a orientação do Pai, segundo sua imagem e semelhança, que é a marca de que somos seus filhos.

Fico incomodado com pessoas preguiçosas, que não se capacitam, não estudam e que passam a vida na mesmice. Acredito que só o fato de você estar lendo este livro já o torna diferenciado. Quando você olhar ao redor, perceba quanto você pode influenciar os demais com seus dons e talentos, quanto você pode fazer pelas pessoas com apenas uma decisão que depende somente de você. E uma coisa é certa: buscar conhecimento fará toda a diferença.

Capítulo 9
Voluntariado como instrumento de graça

> Vocês serão enriquecidos de todas as formas,
> para que possam ser generosos em qualquer ocasião e,
> por nosso intermédio, a sua generosidade
> resulte em ação de graças a Deus.
>
> 2Coríntios 9.11

Você se imagina sendo a extensão do que Jesus faria? É justamente isso que acontece quando amamos e servimos às pessoas, e o resultado dessa atitude é que o próprio Deus será reconhecido por meio de nós. Já ouviu alguém dizer: "Graças a Deus que você apareceu!", "Graças a Deus que você fez isso para mim!", "Graças a Deus que por meio de você minha família vai comer hoje"? Isso é apenas uma amostra do que acontece quando a cultura do voluntariado é posta em prática.

A simplicidade do evangelho está justamente em fazer o que Jesus fez e disse que deveríamos fazer. Aqui menciono um dos textos mais profundos que considero sobre o servir:

> "Então os justos lhe responderão: 'Senhor, quando te vimos com fome e te demos de comer, ou com sede e te demos de beber? Quando te vimos como estrangeiro e te acolhemos,

> ou necessitado de roupas e te vestimos? Quando te vimos enfermo ou preso e fomos te visitar?' O Rei responderá: 'Digo a verdade: O que vocês fizeram a algum dos meus menores irmãos, a mim o fizeram' " (Mateus 25.37-40).

Sinceramente não consigo entender por que cumprir o evangelho é tão complicado aqui na terra. No texto anteriormente mencionado, temos um resumo de um dos mais importantes propósitos da mensagem de Jesus. Digo isso porque, segundo Jesus, o que fizermos aos outros será levado em consideração quando prestarmos contas na eternidade diante de Deus. A conversa será bem direta: O que fizemos com a nossa vida? Em quê investimos o tempo confiado a nós? Em quem investimos os recursos aos quais tivemos acesso? O parâmetro da nossa vida foi Jesus? Ele foi o centro de todas as nossas decisões? Fizemos o que ele faria?

Quero deixar bem claro que o propósito aqui não é apresentar um estudo sobre graça, mas, sim, abrir seus olhos para algo que o próprio Jesus mais fez: agir com graça ao estender a mão àqueles que precisavam, sem jamais fazer acepção de pessoas. Ele serviu a justos e injustos, a puros e impuros. Dessa forma, voluntário não é mão de obra gratuita, mas um serviço que dinheiro nenhum paga. Não se trata de gratuidade; é algo feito como extensão da natureza de Jesus na vida de quem serve. Se Jesus fez, devemos fazer também.

Tenho visto casas construídas, creches em funcionamento, orfanatos, alimentos distribuídos e profissionais de todas as esferas cuidando de vidas. Quando tudo isso acontece, as primeiras palavras que saem da boca das pessoas são: "Graças a Deus".

Sim, este livro é sobre isso, sobre trazer a glória a Deus. Tornar nossa vida e nosso serviço não sobre nós, mas sobre a cultura do Reino de Deus desde o princípio da Criação.

Servir é ser um instrumento de graça para suprir as necessidades das pessoas, sejam elas emocionais, físicas ou materiais. Costumo dizer que servir não é uma questão de ter para fazer, e sim uma atitude daquilo que somos. Muitas vezes se espera ter para então fazer. No entanto, quando servimos, sempre temos o que dar. É impressionante como jamais faltam recursos para quem age por compaixão. Na verdade, são essas pessoas que Deus procura para dar aos necessitados por intermédio delas.

Servir também é um instrumento de sustento e consolo. Muitas pessoas em meio a problemas conjugais, de saúde, perda de entes queridos ou questões financeiras agem com um coração de servo para trazer a graça do sustento. Dê uma olhada ao redor agora e veja quantas pessoas neste exato momento tiveram seu peso aliviado, fruto da graça de voluntários que simplesmente fazem isso porque servir às pessoas é seu estilo de vida. Chorar com os que choram tem valor diante de Deus. Assim como se alegrar genuinamente com os que se alegram; sem inveja ou comparação. Isso só é possível para os que têm o coração transformado.

Este assunto me faz lembrar de várias histórias de Jesus. Em todas elas, vamos encontrar o elemento surpresa que se chama *favor imerecido*. Por que Jesus curou o cego em Jericó? Por que Jesus ressuscitou Lázaro? Por que Jesus entrou na casa de Zaqueu? Por que ele curou os dez leprosos que clamavam por seu nome? Qual foi o interesse dele em perdoar aquela mulher flagrada em adultério? E aquela mulher que apenas tocou em suas vestes? E a todos quantos o buscavam por alguma necessidade especial e foram libertos, curados,

Voluntariado como instrumento de graça

aliviados e encorajados? A resposta para todos esses porquês é uma: graça. O favor que ninguém merece, mas que está ansioso por receber, porque essa é a natureza de Jesus e deve ser a nossa.

Servir no fundamento da graça é ter coragem de quebrar a religiosidade. Deixe-me explicar um pouco sobre esse tema. No primeiro século, ao longo do relato dos Evangelhos, encontramos as autoridades religiosas liderando o povo e dizendo-se representantes de Deus:

> "Vocês negligenciam os mandamentos de Deus e se apegam às tradições dos homens". E disse-lhes: "Vocês estão sempre encontrando uma boa maneira de pôr de lado os mandamentos de Deus, a fim de obedecerem às suas tradições! Pois Moisés disse: 'Honra teu pai e tua mãe' e 'Quem amaldiçoar seu pai ou mãe terá que ser executado'. Mas vocês afirmam que, se alguém disser a seu pai ou a sua mãe: 'Qualquer ajuda que vocês poderiam receber de mim é Corbã', isto é, uma oferta dedicada a Deus, vocês o desobrigam de qualquer dever para com seu pai ou sua mãe. Assim vocês anulam a palavra de Deus, por meio da tradição que vocês mesmos transmitiram. E fazem muitas coisas como essa" (Marcos 7.8-13).

A religiosidade faz uma pessoa fazer sem um motivo. Ela julga a pessoa pela aparência e pelos interesses. O perigo está em seguir regras meramente humanas sem nenhuma coerência bíblica. Você pode se perguntar qual é a relação disso com servir? Eu respondo. Quando alguém serve porque se sente obrigado a fazer isso ou por motivos religiosos, cai no erro de direcionar suas atitudes pela aparência, pela manipulação, por interesses pessoais e com acepção de pessoas. Na religiosidade, o medo impera, ou seja, caso não se faça o bem a alguém, torna-se digno da punição de Deus, como se Deus agisse pelo que fazemos ou lhe damos.

Somos aceitos por Deus e dele recebemos sua graça e amor. Ponto final. A graça jamais exigirá alguma coisa em troca. Cuidado para que sua generosidade não venha a prender a pessoa beneficiada por você; caso isso aconteça, não foi generosidade, e sim salário com exigência de contraprestação. Em relação ao nosso serviço, a graça oferecida é a graça que já foi recebida. Sendo assim, não há espaço para nenhum tipo de cobrança.

Do início ao fim da Bíblia, encontraremos um Deus que escolhe, doa, levanta pessoas por sua graça. A escolha de Abraão foi por meio da graça. Deus preferiu Jacó a Esaú por meio da graça. José foi o que foi pela graça. A coroação de Davi foi graça. E o que dizer sobre Daniel, Salomão, os profetas e os apóstolos? Uma resposta a tudo: a graça de Deus.

Servir pela graça vai exigir de nós entender que tudo que somos, recebemos e seremos é por meio da graça. Como já dissemos, e não custa nada lembrar novamente, não se trata de gratuidade, porque sabemos muito bem o preço que Jesus pagou, mas, sim, de algo que dinheiro nenhum do mundo pode pagar. Quanto mais entendemos e vivemos a graça, capacitamo-nos a servir por meio da graça. Servir a despeito de a quem quer que seja. Amar a todos, não importa a quem. Importar-se com o próximo. Viver literalmente o evangelho de Cristo.

Se ao ler este livro você não foi impelido a colocar nada em prática, fico triste, pois é sinal de que o livro não está cumprindo o propósito para o qual foi escrito. Mas, pelo menos, ponha esse princípio como seu estilo de vida, ou seja, porque Jesus serviu e se deu a mim de graça, da mesma forma devo servir aos outros. Sinceramente, aqui se encontra uma das verdades mais profundas da vida de Jesus. Ao fazermos dessa forma, não há como não servir. É impossível não enxergar o meu próximo. Não tem como a nossa vida não ser transformada. Literalmente vamos ver a vida de outra forma e nunca mais seremos a mesma pessoa. Essa é a vida que Jesus quer ver em nós.

Certa vez, ouvi algo muito interessante. Aquilo que fazemos para os outros deve ser esquecido e jamais cobrado, mas tudo que recebemos deve ser lembrado e agradecido.

O título deste livro é pura verdade, realmente amar e servir demonstram a cultura do voluntariado. No rosto de quem serve se vê claramente o amor estampado e o coração totalmente satisfeito.

E aí, qual será sua atitude diante de tanta verdade? Como agiremos diante da graça derramada por Jesus a nós? Que ao servir sejamos um instrumento da graça em que Jesus seja lembrado e receba toda a glória.

Capítulo 10
Voluntariado como reflexo de Jesus

Imagine você sendo os braços, as mãos, os olhos, os ouvidos, sendo literalmente a extensão de Jesus neste mundo. Esta é a definição correta de servir como reflexo de Jesus. Acho interessante quando Pilatos, ao interrogar Jesus, faz a pergunta: "[...] Você é o rei [....]?" (João 18.33). Jesus responde: "[...] por esta razão nasci e para isto vim ao mundo [...]" (João 18.37). Não apenas para reinar e falar a verdade, mas, sobretudo, amar e servir ao mundo. O convite é que façamos o mesmo.

Quero ir mais profundamente nesse assunto porque entendo que é um fundamento importante quando o tema é voluntariado. Servir é o efeito; a causa é a natureza que temos. Se esta é a de Jesus, não há como não servir. Vimos anteriormente que isso não se trata de método ou ferramenta de uma instituição; trata-se de estilo de vida, de possuir a vida transformada. A verdade é que Jesus está nos dando a chance de ser transformados por meio do serviço a outras pessoas.

Compartilhar da natureza de Jesus nos leva a muitas mudanças; você sabe muito bem do que estou falando, algo que implica desde a mudança de mentalidade, a visão diferente de nós mesmos, dos outros, e até da própria vida.

Entendo também que Deus usa o instrumento de servir a outras pessoas como o maior meio de transformação de um ser humano.

Só quem serve sabe dessa verdade. Histórias que conheço de empresários, profissionais liberais, donas de casa, mães, jovens são provas vivas de que servir implica cem por cento compartilhar da natureza de Jesus. Por isso, não há lugar para questionar a afirmação de Tiago, irmão de Jesus: "Assim como o corpo sem espírito está morto, também a fé sem obras está morta" (Tiago 2.26).

É justamente isso que queremos transmitir ao falar sobre a natureza de Jesus, é caminhar na coerência entre fé e obras, obras e fé. Não há como conhecer Jesus e não agir em amor e serviço. Quem ama e serve, o faz porque carrega a natureza de Jesus em si mesmo; é simples assim.

Sendo bem honesto, fico um pouco decepcionado quando vejo estatísticas de países considerados da maioria cristã apresentarem a mesma quantidade de pessoas envolvidas em causas humanitárias, em questões sociais, em projetos para equilibrar a distribuição de renda, em uma igreja mais presente na sociedade de segunda-feira a sábado do que nos domingos, do que países com minoria cristã. Não se trata de simplesmente envolver-se com ações sociais, mas do exercício da generosidade, do estabelecimento dos valores e dos princípios do Reino de Deus na terra.

Você há de concordar que, se todos os seguidores de Jesus realmente praticassem o que ele ensinou, não haveria tanta desigualdade social, tanta violência; não veríamos tantos lares destruídos. Infelizmente, o número de suicídios cresce, a fome e a pobreza. Tenha absoluta certeza de que tudo seria completamente diferente. O mundo seria bem melhor.

Reconheço quanto as organizações já têm feito, quanto as igrejas e as instituições religiosas têm contribuído para a sociedade. O valor desse esforço tem realmente feito diferença ao redor do mundo. Uma coisa é certa: sem esse esforço, o nosso mundo seria bem pior, mas a verdade é que há ainda muito a ser feito. Portanto, é imperativo refletir Jesus nas escolas, nas empresas, nas praças, no ambiente familiar, nas ruas, nos mais variados lugares e alcançar pessoas por meio do serviço voluntário. Estender a mão por meio do amor e do serviço. Ser o corpo de Jesus aqui na terra: "Portanto, somos embaixadores de Cristo [...]" (2Coríntios 5.20).

Somos representantes do Reino de Deus aqui na terra e, quando servimos, estabelecemos outro padrão, outro governo, outra cultura. O mundo não conhece essa forma de viver, isso é estranho para a sociedade atual. Amar e servir? O quê? Isso não faz parte da sociedade atual, não é referência para a maioria das pessoas. Tenho certeza de que temos em nossas mãos uma oportunidade ímpar de trazer uma revolução à sociedade em que vivemos. Eu acredito que a cultura do voluntariado é literalmente a maior mensagem de amor e compaixão pelo ser humano, e isso importa para Deus, ele leva a sério esse assunto, porque foi por isso que ele enviou Jesus ao mundo.

> "Porque Deus tanto amou o mundo que deu o seu Filho Unigênito, para que todo o que nele crer não pereça, mas tenha a vida eterna." (João 3.16)

A natureza de Deus é amar e, porque ele ama, ele dá, ele age, ele serve. Na Bíblia, amor não é um sentimento; é uma pessoa: "Quem não ama não conhece a Deus, porque Deus é amor" (1João 4.8). Exatamente isso. Deus é amor e, na passagem anteriormente citada, vemos algo muito sério: se não amamos, não podemos dizer que temos Deus em nós. O contrário é verdadeiro: se Deus habita em nós, já temos o amor, e como resultado devemos agir como ele agiu. Não há o que discutir. Não há como esperar outra atitude de quem segue Jesus. Compartilhar da natureza dele é se compadecer e agir com generosidade.

Voluntariado como reflexo de Jesus

Capítulo 11
Todos somos iguais

Uma realidade é perceber que, quando servimos, nos igualamos. Explico. Quando alguém serve, não significa que a pessoa é maior ou menor; ela se torna igual ao outro. Em outras palavras, passamos a estar no mesmo nível dos outros.

Você vai compreender melhor quando olhar para a atitude de Jesus. Claramente ele desceu ao nosso nível, literalmente desceu para um nível inferior para estar conosco, Jesus se fez igual a nós; e foi isso que Paulo quis dizer quando ele exorta em uma de suas cartas:

> Seja a atitude de vocês a mesma de Cristo Jesus, que, embora sendo Deus, não considerou que o ser igual a Deus era algo a que devia apegar-se; mas esvaziou-se a si mesmo, vindo a ser servo, tornando-se semelhante aos homens. E, sendo encontrado em forma humana, humilhou-se a si mesmo e foi obediente até a morte, e morte de cruz! (Filipenses 2.5-8).

Servir requer abandonar título, posição; significa identificar-se com quem está sendo beneficiado. Só assim pomos o coração no que fazemos e damos o nosso melhor. O fato de alguém ter necessidades não significa que essa pessoa esteja em uma posição inferior, mas que é uma oportunidade para que exerçamos compaixão. Compaixão essa que não vem de nós, mas que transborda por meio de nós: "Toda boa dádiva e todo o dom perfeito vêm do alto [...]" (Tiago 1.17).

Quando enxergamos a necessidade de alguém, estamos nos identificando com ela; é a forma literal de nos pormos em seu lugar. É imperativo para quem serve o entendimento de que estamos todos no mesmo nível diante de Deus.

Outro aspecto importante é que a palavra "servo" é a única reconhecida no Reino de Deus. Nele não existe título de pastor, bispo, doutor, professor, senhor, levita; todos seremos reconhecidos como servos, o maior título no céu.

Geralmente, na sociedade atual, as pessoas são reconhecidas e pontuadas pelo local em que servem. Isso é completamente oposto à cultura do Reino de Deus e era justamente o que ocorria com os fariseus da época de Jesus. Além de valorizarem os primeiros lugares, apegavam-se à posição que tinham, e dificilmente serviam; pelo contrário, eram sempre servidos, porque jamais se posicionavam em situações consideradas inferiores. Portanto, não é o local que determina nossa posição inferior ou superior mas sim a nossa atitude, independentemente de onde estamos.

Na prática, uma pessoa que serve na recepção de uma organização não é inferior à pessoa que dá uma conferência ou um voluntário que toca um instrumento no palco; ninguém é melhor que alguém que serve no estacionamento. Um médico voluntário em uma instituição não é maior que alguém que serve na cozinha. A riqueza do serviço voluntário encontra-se nesta premissa: todos são servos, e perante Deus esse é o título mais importante e o único.

Parte III
Como levantar voluntários

Capítulo 12
Crie os espaços

*Portanto, julgo que não devemos pôr dificuldades
aos gentios que estão se convertendo a Deus.*
Atos 15.19

Sempre que sou convidado a falar sobre voluntariado, observo um desafio para a maioria dos líderes; o desafio é descomplicar para quem quer servir. Geralmente a lista de requisitos para uma pessoa servir é enorme e de difícil acesso. Por isso, são poucos os que se arriscam a cumprir todas as exigências. Digo isso porque, em se tratando de instituição religiosa, a situação é pior. Dela se pode exigir quase perfeição.

Facilitar não significa que a pessoa que serve esteja apta a servir em todos os lugares. De certa forma, alguns setores vão exigir capacitação, como um conhecimento técnico, uma experiência maior, uma caminhada cristã mais profunda, por exemplo, mas isso é comum em toda organização. O certo é que facilitar para haver mais pessoas que sirvam é o caminho correto. Simplifique, não complique.

Temos percebido que o ambiente das pessoas quando servem é propício para o crescimento pessoal em todas as áreas. Principalmente no ambiente de igreja, a maioria dos líderes teme pessoas que não possuem um testemunho adequado ou são novas na caminhada cristã. Nesse caso, digo que a pessoa não será um líder imediato, nem necessariamente estará na linha de frente, mas me permita dizer, por experiência, que no convívio com outras pessoas a vida dela será influenciada por boas amizades e será como um curso de discipulado. Nossa experiência diz isso.

Porque o Reino é um lugar para todos

Todos são chamados a servir, mas a verdade é que nem todos aceitam o convite; se isso acontecer, não vamos criticar ou julgar, mas, sim, celebrar os que querem e manter as portas sempre abertas para os que não querem ou não podem. No entanto, vale pontuar, servir continua sendo um convite para todos.

Portanto, todos podem e devem servir; não apenas os que têm *experiência comprovada*, mas todos os que têm coração para tal.

Você já percebeu que geralmente as pessoas buscam voluntários para lugares óbvios como recepção, estacionamento, berçário? Precisamos expandir o raio de atuação e entender que o Reino tem muito espaço para quem tem coração e quer amar e servir. Minha linha de raciocínio é simples: imagine quanto um ser humano tem de potencial e quanto ele é capaz de fazer. Então, a responsabilidade de abrir espaços e deixar que as pessoas se manifestem é nossa, como líderes. Não apenas isso, é nossa responsabilidade também valorizar o que cada um faz no sentido de aproveitar a iniciativa de todos.

Enfatizo isso porque percebo que temos a tendência de dar maior atenção aos considerados mais talentosos. Assim, é perigoso cair na tentação de estabelecer para a minoria uma espécie de pequenos reinados, que fazem que a pessoa se sinta dona daquele ambiente. Observe, então, aquela pessoa que serve há anos no mesmo lugar e não ajuda a desenvolver outras pessoas. Impedir uma pessoa de servir é como obstruir a bênção de Deus. É importante lembrar que não somos donos, mas servos.

Na Videira, temos áreas macro de voluntariado para abraçar o serviço das pessoas nas suas mais diversas formas. Temos as seguintes seis grandes áreas nas quais todos os departamentos se enquadram: Culto, Videira *Kids*, Criativo, Social, Profissionais e Educacionais. Se tem alguém que ama crianças e quer servir, nós temos espaço; se tem algum empresário que não tem tempo no domingo, mas quer dar uma consultoria para o departamento administrativo da igreja, nós temos espaço; se tem alguém que ama teologia e ensino e quer servir, nós temos espaço, e assim segue. Você entendeu a essência.

Porque, quando eu me envolvo, me apaixono

> Servi ao SENHOR com alegria [...]. (Salmos 100.2, *Almeida Edição Contemporânea*)

A alegria é o combustível para todos que assumem o serviço como estilo de vida. Não há como ser diferente. Em todo ambiente em que existe um voluntário servindo de coração, você verá estampada a alegria no semblante, bem como encontrará uma atmosfera leve e apaixonante.

Mas qual é a importância da paixão? Por que ela é primordial na cultura do voluntariado? Afirmo que o grande benefício é a mudança que ela promove nas pessoas porque elas deixam de ser egocêntricas.

A melhor forma de mudar a mentalidade de clientes para parceiros é por meio do envolvimento com o serviço.

Crie os espaços

Precisamos encorajar a mentalidade de donos, que em geral dizem: "Esta igreja é minha", "Esta cidade é minha", "Este bairro é meu", "Esta rua é minha". Mudar de mentalidade exige envolvimento, ensino, encorajamento e tempo. Isso demanda uma dose de paciência. Não é nada fácil, mas também não é algo impossível.

Temos visto que a paixão vem pelo envolvimento. Na nossa realidade, quantas pessoas tiveram sua vida transformada, sim transformada completamente, pelo fato de experimentarem o sabor de que dar é melhor do que receber? Muitas!

Infelizmente, criamos uma mentalidade de oferecer cardápios em nossas instituições, principalmente quando se trata de igreja. Oferecemos tudo para as pessoas, damos tudo para todos, tentamos agradar a todos, com nossa infantil e errônea mentalidade de achar que a igreja tem a obrigação de oferecer tudo para os membros. Como consequência disso, criamos pessoas que vez por outra saem de uma igreja para outra, na tentativa de mudar de cardápio, para ver quem oferece mais. Quando a cultura do voluntariado se estabelece, saímos da mentalidade "O que a minha igreja tem a me oferecer?" para "O que eu posso oferecer à minha igreja?". Isso faz total diferença.

Observe que o envolvimento é o caminho mais curto para se eliminar a crítica. Isso porque, quando a pessoa começa a conhecer de perto o cenário todo da instituição e passa a se envolver de forma mais apaixonante, ela deixa de falar coisas que anteriormente comentava sem conhecimento de causa. Lugares em que a cultura do voluntariado é forte, o ambiente de crítica é minimizado, porque cada um assume parte da responsabilidade e é parte importante do todo.

A paixão traz à tona a zona de graça de cada um. Deixe-me explicar melhor porque isso faz uma enorme diferença. Reconheço que cada pessoa tem o lugar em que suas habilidades se tornam mais fortes e o resultado, mais eficaz. Digo isso porque o resultado é, na verdade, ter pessoas beneficiadas. Pessoas apaixonadas tornam outras pessoas apaixonadas por elas. A paixão elimina o medo, atrai recursos, minimiza a dor, faz o tempo passar rápido e torna o serviço um prazer, não um peso. Para mim, no âmbito do voluntariado, o significado mais real de paixão é a forma com que ela faz a pessoa enxergar mais claramente o ambiente, as pessoas ao redor e a própria vida. Pessoas apaixonadas são descomplicadas.

Porque, quando as pessoas praticam, se desenvolvem

Se queremos gerar líderes saudáveis, então precisamos dar oportunidade para esses líderes se desenvolverem. A máxima para o desenvolvimento é simples; não digo que seja fácil, mas simples.

Passo 1 — Eu faço; você observa.
Passo 2 — Fazemos juntos.
Passo 3 — Você faz; eu observo.
Passo 4 — Você faz sozinho; traga alguém para observar você fazer; e vou levantar outra pessoa!

Você já viu isso em algum lugar e não custa nada repetir. Se quer levantar um líder, dê a ele responsabilidade. Se quer levantar seguidores, dê apenas ordens.

Quando o assunto é voluntariado, é impressionante como as pessoas se desenvolvem quando começam a servir. Tenho visto inúmeros

Crie os espaços

exemplos de pessoas que estão em outro nível pelo simples fato de alguém lhes ter dado a oportunidade de servir e assumir a responsabilidade disso. Fazendo e crescendo, e fazendo ainda mais.

Deixe-me incluir algo necessário. Há três ingredientes no desenvolvimento de pessoas: tempo, tesouro e talento.

O tempo que o líder passa com a pessoa é a chave para o sucesso. Não se trata apenas de fazer alguma coisa com ela; trata-se de conectar o coração com o dela, porque quem serve precisa em primeiro lugar ter isso bem resolvido. Perceba uma coisa, o que causa problema no ambiente do voluntariado é quando orgulho, vaidade, feridas de alma, falta de perdão e inveja estão presentes. Somente o tempo para revelar e trazer à tona toda essa problemática. Investir tempo não é uma questão de necessidade, mas de sobrevivência.

O segundo ingrediente é o tesouro, digo isso porque é o tempo que vai ajudar a aprimorar e desabrochar a riqueza que há em cada um. Carregamos a natureza de um Deus criador e acredito que ele usa pessoas para nos mostrar o que de melhor possuímos. Qual o lugar mais adequado para exercer o potencial máximo? Qual o perfil adequado para aquela função? Qual a estação correta e o que se exige da pessoa para isso? Observe como isso é uma riqueza e como fará diferença no desenvolvimento de voluntários. Como nos filmes de caça ao tesouro, assim também devemos ser quando o tema é desenvolver pessoas. Quando você estiver diante de um ser humano, saiba que na sua frente está alguém com um diamante enorme em seu interior e que você pode ser a pessoa que vai mostrar a ele o valor dessa pedra preciosa.

O tempo investido para descobrir o tesouro que cada um possui culmina no último ingrediente, que é colocar para funcionar os dons e os talentos da pessoa. Alguns são naturais; outros, desenvolvidos. Em outras palavras, o talento faz a pessoa certa estar no lugar certo. É importante ressaltar que o tempo investido na pessoa fará o líder conhecer o caráter do voluntário, pois dons e talentos levam uma pessoa para o palco ou para o cenário, mas somente o caráter o sustenta por muito tempo.

Que desafio, não é mesmo? E como isso acontece? Só tem um caminho, investindo em capacitação.

Calma! Respire um pouco. Sei que é muita informação e não quero complicar de forma alguma. Na prática, significa instruir o voluntário e dar-lhe ferramentas para que aplique e perceba que o que ele possui é suficiente para desempenhar bem o seu papel. Cabe a nós, líderes, instruir e ensinar, mostrar o caminho, dar ferramentas e abrir oportunidades para a prática. Quando isso funciona, é um encorajamento e tanto. Imagine-se desfrutando a alegria de ver pessoas que você formou atuando bem melhor e dentro do propósito para o qual Deus as chamou. Não há nada que pague isso.

Quando você junta esses ingredientes e segue o processo natural do desenvolvimento, terá voluntários habilitados para toda boa obra.

Porque nós, líderes, não podemos fazer tudo sozinhos

Precisamos acabar com a cultura de líder super-herói ou de líder faz-tudo sozinho como se isso fosse algo saudável, algo a ser encorajado. Pelo contrário, talvez seja uma forma de comunicação indevida, uma forma de ser centralizador, desorganizado; uma forma de não saber levantar pessoas para o voluntariado ou de querer ter as coisas sob controle.

Crie os espaços

Quando se trata de um trabalho ou de uma organização que se iniciou há pouco tempo, realmente o líder acaba fazendo "tudo e mais um pouco". Contudo, se esse não é o seu caso, cuidado para não criar uma cultura de heroísmo. Cuidado para não fazer pior ainda, colocar peso sobre um grupo pequeno de pessoas, pois existe uma grande tendência de chegar o dia em que essa equipe não suportará e desistirá.

Nessa linha de pensamento, é bom lembrar que a cultura do *nós* sempre é melhor do que a cultura do *eu*. Em outras palavras, o plural é melhor do que o singular. Muitas vezes, precisamos abrir mão e deixar que as pessoas se envolvam e se desenvolvam:

> Um homem sozinho pode ser vencido, mas dois conseguem defender-se. Um cordão de três dobras não se rompe com facilidade. (Eclesiastes 4.12)

Porque faremos muito mais e melhor

A questão do voluntariado está na abrangência do que um grupo de pessoas é capaz de fazer quando o coração, a paixão e o amor estão envolvidos. Nesse caso, não somos capazes de medir e muito menos de imaginar o benefício nas pessoas e nas gerações futuras.

Fazer muito mais e muito melhor é justamente o que acontece quando servir for o estilo de vida das pessoas. Quando damos oportunidade para as pessoas servirem, com o tempo elas começam a fazer muito melhor e muito mais do que estamos fazendo. Já tenho visto isso acontecer inúmeras vezes.

Porque a organização precisa dos dons e talentos de todos

A unidade na diversidade é uma riqueza e uma necessidade do Reino de Deus. Dar espaço para as pessoas fluírem em seus dons e talentos é perceber que cada pessoa tem valor e pode, sim, contribuir. Não podemos impedir que as pessoas se desenvolvam e deem seu melhor. Quando abrimos espaço, vamos celebrar o fato de que muitas pessoas com seus dons terão frutificado e estarão radiantes por poder participar com aquilo que elas possuem de melhor.

Capítulo 13
Como levantar e manter uma cultura saudável de voluntários

Sempre haverá o lugar certo para a pessoa certa! Mas somente é possível detectar um e outro quando há oportunidade para as pessoas usarem seus dons e talentos. Tem lugar para quem sabe cozinhar, cortar cabelo, fazer unhas; para massagista, professor, médico, enfermeiro, treinador de futebol, analista de sistemas, fotógrafo etc.

Às vezes fico triste com o desperdício de tantos dons e talentos que são utilizados anos a fio apenas para deleite próprio; dons e talentos usados em função de si mesmo e limitados ao mundo em que a pessoa vive.

Você chegou até este ponto na leitura deste livro, e quero que saiba que oro por você. Se tem alguém que acredita em você, esse alguém é Deus. Ele formou sua vida com um propósito enorme, mas somente você pode decidir se vai cumprir sua missão de vida aqui na terra. Neste exato momento, alguém está necessitado daquilo que somente você é capaz de oferecer; portanto, não perca a oportunidade de se disponibilizar para aquilo que o Criador capacitou você a fazer. Quando você se deixar ser usado, poderá dizer algo que somente aqueles que servem podem dizer, que dinheiro nenhum desta terra é mais recompensador do que a alegria de servir.

Valorize o coração, não o título

> Acima de tudo, guarde o seu coração, pois dele depende toda a sua vida. (Provérbios 4.23)

Conhecer e testar o coração é o fundamento para qualquer ser humano, mas, em se tratando de servir, é o fundamento primordial. E digo mais: tudo começa com um coração transformado e pronto.

Servir com o coração é tudo que Deus precisa, e, quando se está alinhado com os valores do Reino, as mãos farão o que for preciso. Em outras palavras, mãos e coração precisam caminhar no mesmo compasso. Significa dizer que o ser vem primeiro que o fazer.

O coração determinará até onde você pode ir. O coração definirá como fazer. O coração mostrará por que fazer. O coração abrangerá o que fazer. O coração revelará por que fazer. Com o coração, tudo se transforma.

> O coração alegre aformoseia o rosto, mas com a tristeza do coração o espírito se abate. (Provérbios 15.13, *Almeida Revista e Atualizada*)

Eu amo esse texto, porque por meio dele aprendemos muito sobre servir e quanto o coração é importante no processo. A alegria de servir não vem apenas porque devemos abrir um sorriso, mas, sim, pela essência que possuímos. Porque temos um coração para servir, temos ânimo para trabalhar; por sua vez, a força para atuar é fruto do combustível incrível chamado alegria.

A beleza de um voluntário é fruto da natureza que ele carrega, é fruto de um caráter transformado e de um interior muito maior que o exterior. A simpatia que se espera de quem serve não é algo forçado, e sim o resultado de uma consciência do dever e da missão que Jesus nos confiou. Fazer com o coração é a forma mais sincera de alguém que faz e não precisa receber nada em troca. Quando o coração está envolvido no serviço, transmitimos nossos sentimentos, não o resultado de uma obrigação pessoal ou algo semelhante. Digo isso porque podemos servir simplesmente por motivos de consciência, embora não seja algo errado. No entanto, fazer com o coração foca a pessoa a quem servimos.

A pergunta que você deve fazer é: Como testar e tratar o coração? Bem, de forma prática, indicarei aqui alguns exemplos do que faço no dia a dia.

Sempre que alguém chega até mim apresentando seu título em primeiro lugar, o que ela é capaz de fazer e em quais áreas gostaria de servir, ou traz um currículo de suas realizações, percebo que antes de tudo será preciso conhecer o coração dessa pessoa; por isso, nada melhor que pedir a ela que sirva e de preferência em um ambiente no qual não ficaria tão à vontade. Por quê? Porque não se trata do lugar em que servimos, mas, sim, das pessoas às quais servimos. Se essa pessoa, mesmo sem ter muita habilidade, começar a desempenhar sua tarefa e seguir em frente, então terá demonstrado que, antes de fazer o que ela poderia fazer de melhor, voltou seu coração para as pessoas. Faça esse teste duas ou três vezes e veja o resultado. Outro exemplo prático é pôr a pessoa sob a supervisão de alguém, porque entendo que o tamanho da autoridade que temos é proporcional ao tamanho da submissão que demonstramos ter.

Como levantar e manter uma cultura saudável de voluntários

Quer testar o coração? Envolva a pessoa em um ambiente em que o título não faz nenhuma diferença, porque as pessoas do mesmo time realizam coisas muito maiores e melhores sem a necessidade de credencial. Chame-as pelo nome, trate-as por aquilo que são, não pelo que possuem; designe a elas atividades bem simples, mas que fazem diferença no todo, como arrumar cadeiras, estacionar um carro, fazer um café, carregar e empacotar materiais.

Dê-lhes tempo e perceba qual a reação delas, o semblante do rosto etc. se os olhos estiverem brilhando, o coração estará curado. Mas não se esqueça de encorajá-las se forem aprovadas no teste; em caso negativo, compartilhe com elas as observações que você notou. Não custa lembrar: no céu, o maior título é o de servo, isso mesmo, simples assim!

Não tenha medo de pedir

Sempre assuma que as pessoas querem servir e ajudar. Saiba que o privilégio é delas; não peça desculpas por dar oportunidade a elas mesmas, não há nada de errado com isso; pelo contrário, é uma questão de visão e entendimento que servir deve ser o resultado de se apropriar da natureza de Jesus.

Servir deve ser um prazer a ser desfrutado por todos. Infelizmente, vejo muitos líderes quase implorando ou se esquivando de pedir, ou nem sequer mencionando quais são as necessidades e as pessoas que precisam de nossa ajuda.

Jesus sempre foi ousado em pedir, encorajar e fazer as perguntas certas. Como falamos, além de facilitar, ouse pedir de forma clara e convincente. No final, quem ganha é quem serve.

De forma prática, divulgo constantemente em quais áreas temos necessidade de voluntários e quais os requisitos, caso necessário. Isso quer dizer que devemos permitir que as pessoas se ponham à disposição para servir em áreas que talvez você nem imaginaria que alguém ao redor se mostrasse interessado.

Disponibilize um balcão em um lugar de fácil acesso ou de fácil visualização. Crie meios de captação de voluntários, como inscrição *on-line* ou aplicativo de celular; disponibilize formulários nas cadeiras, nos corredores, nas reuniões de pequenos grupos. Crie responsáveis para direcionar as pessoas que se puseram à disposição para servir e saiba que é frustrante alguém se disponibilizar e não ser contatada.

Não economize em criar espaços para que todos sirvam. Não caia no erro de pôr na mão de uma só pessoa a realização de uma tarefa quando poderia abrir espaço para outras pessoas servirem.

Pedir passa também por uma questão de dependência divina. Ao afirmar que a obra é grande e são poucos os trabalhadores, Jesus nos ensina a pedir o que não conseguimos fazer com estratégias humanas.

Lembro-me muito bem de que bem no início da Videira fazíamos praticamente tudo: limpar, arrumar, tocar, cantar, pregar. Mas, com o passar do tempo, começamos a orar a Jesus, conforme ele nos orientou em sua Palavra, e pedir voluntários para áreas específicas. Começamos a pedir tecladista, baterista, músicos; eu dizia literalmente assim: "Senhor, se ninguém está pedindo, eu estou, envia para cá. Eu quero e estou precisando".

Se Jesus disse para pedir, fazíamos exatamente isso. Em outra estação, tínhamos a necessidade de médicos, enfermeiros, profissionais da área da saúde para servirem como voluntários em nossa ONG, dentro de uma comunidade carente. Sabe o que aconteceu? Ele os enviou, e não foram poucos. Muita gente hoje serve como resposta de oração.

Agora você tem em mãos ferramentas preciosas para levantar voluntários; é preciso apenas pô-las em prática e cuidar bem desse exército poderoso. Minha oração é que você perceba que, ao pedir a Jesus ou a seu público, está oferecendo uma oportunidade única que transformará a vida não apenas de quem será beneficiado, mas primeiramente de quem serve.

Encoraje e celebre constantemente

A Bíblia é o livro do encorajamento e, de Gênesis a Apocalipse, encontramos Deus nos levantando e nos dando ânimo para prosseguir. Se isso faz diferença na vida de um voluntário? Lógico que sim! Mas existe uma diferença entre encorajar, honrar e bajular. Se dizemos algo a uma pessoa porque ela está carente, nós a estamos bajulando; essa não deve ser a nossa motivação, mas, sim, porque ela merece e a honramos.

Pessoas com o coração saudável, a mente tranquila e o mundo interior bem resolvido não precisam nem buscam honra ou reconhecimento, mas com certeza, ao receberem uma palavra de encorajamento, ficarão gratas e nunca esquecerão tal atitude.

A palavra que sai da nossa boca tem poder. Salomão afirma: "A língua tem poder sobre a vida e sobre a morte; os que gostam de usá-la comerão do seu fruto" (Provérbios 18.21).

Precisamos usar o poder que há em nossas palavras e expressar nossa gratidão e honrar aqueles que servem. Costumo dizer que encorajamento é um ótimo combustível para a alma. Percebo que alguns líderes não têm essa prática para não alimentar o ego das pessoas, mas aqui vai meu conselho: deixe Deus tratar a soberba, a "sonegação" de encorajamento não vai ajudar nisso, pelo contrário; o que cabe a nós é sempre que possível usar nossas palavras para dar ânimo aos voluntários.

Encorajar e honrar é algo maravilhoso, e celebrar não tem preço. Em nosso caso, celebramos pelo menos duas vezes por ano. Costumamos programar uma noite na qual festejamos juntos tudo que Deus realizou por nosso intermédio. Isso fora as celebrações semanais que acontece em cada equipe de serviço.

Reserve datas em seu calendário anual, faça pregações, dê estudos, seja intencional em celebrar o fato de que pessoas estão deixando de lado o egoísmo e se dando em generosidade com seu tempo e talentos. A celebração está enraizada na cultura judaica, o que nos serve de exemplo e aprendizado para celebrar o que realmente importa.

Sugiro que nesse dia os voluntários de cada área sejam honrados; podem ser gravados vídeos curtos das pessoas que foram beneficiadas como forma de demonstrar a importância de cada um nesse processo. Apresente os números alcançados e o papel dos voluntários para que isso fosse possível.

Crie uma lembrança para cada líder de área. Se possível, faça um culto diferenciado para demonstrar honra especial a cada um. Faça desse momento o mais alegre possível, o mais importante do calendário da igreja ou de sua instituição. Demonstre amor, carinho, honra e, sobretudo, gratidão pela vida de cada um. Quando a celebração se tornar uma cultura de sua organização, você verá a diferença que momentos como esses fazem na vida dos voluntários.

Veja bem, não se trata de uma exigência por parte deles, mas de uma oportunidade que temos para honrá-los. De outra perspectiva, é uma chance de servi-los da melhor maneira que sabemos.

Trate-os com seriedade

Seriedade pode soar como cara feia, rosto fechado, ambiente entre chefe e colaborador, mas é algo totalmente diferente. Na verdade, é tratar os voluntários trazendo-os à responsabilidade.

A cultura do voluntariado não é mão de obra gratuita; portanto, não significa falta de compromisso, cumprimento de horários e metas, assiduidade e principalmente vida com Deus.

Costumo dizer que servir não é um favor que o voluntário faz; já explicamos que se trata do reflexo do caráter de Jesus. Desse modo, se a pessoa não chega no horário determinado ou não tem assiduidade, deve ser chamada para uma conversa. É possível que o voluntário queira ir para outro departamento ou queira retirar-se por um período para aprofundar-se no tema do serviço.

A seriedade está também no fato de que você não ensina a cultura do voluntariado, e sim que você é a cultura. Em outras palavras, seja você o primeiro a dar bom exemplo. Sempre que possível, o líder deve descer de seu patamar e fazer além do esperado para que as pessoas percebam o coração de quem lidera; desse modo, inspira a equipe a fazer o mesmo. Isso faz que as pessoas percebam seu coração.

Treinamento constante faz parte de um processo para elevar o nível dos voluntários. Periodicamente fazemos reuniões nas quais alinhamos a visão, estabelecemos as metas de cada departamento e inspiramos o coração de cada um.

Quando falo de treinamento, trata-se de algo totalmente prático, desde como uma pessoa da recepção deve se vestir até a forma correta de se comunicar, ou o que se espera de alguém no estacionamento, a conduta que se deve ter com as crianças, as regras para quem serve na mídia, a utilização correta de novos equipamentos e a revisão do manual de forma que ele seja claro para qualquer um que necessitar consultá-lo.

Geralmente iniciamos o treinamento com uma palavra motivacional, um texto bíblico, e logo em seguida dividimos por departamentos; assim, o líder conduz sua equipe e se certifica de que cada voluntário está dentro do que foi estabelecido.

Exija leveza e diversão

> Prestem culto ao Senhor com alegria [...]. (Salmos 100.2)

Tratar com seriedade não anula o fato de que deve haver um ambiente de leveza e alegria, até porque somente dessa forma criamos condições para todos servirem com alegria e excelência. Quando isso acontece, percebe-se que o voluntário está servindo de coração e feliz, bem como demonstra que está bem com ele mesmo e a equipe.

Cabe ao líder criar esse clima de descontração e fazer do ambiente de sua equipe um lugar de respeito mútuo. Na minha experiência, a melhor forma de isso acontecer é sempre ter em mãos elementos surpresa quando a equipe estiver a postos. Leve chocolate ao grupo, coloque música bem alegre, principalmente quando se trata de ambientes como no estacionamento ou em departamentos nos quais facilmente as pessoas ficam entediadas.

Sugiro também que, em momentos de muito estresse, como conferências ou ações que exijam horas de trabalho contínuo, haja uma sala preparada exclusivamente para os voluntários, com jogos, lazer, massagista, refeição diferenciada. Saiba que, quanto mais descontraído for o ambiente, maior será o prazer e maior ainda a dedicação.

Pratique a tolerância. Nem todo mundo vai acertar sempre. Tratar voluntário como ser humano não é novidade; é obrigação.

Percebo que às vezes focamos tanto as pessoas às quais servimos que nos esquecemos de que são os voluntários que tornam isso possível; portanto, são eles a riqueza que temos. Tratá-los com dignidade e respeito é no mínimo ter coerência. A alegria estampada nos voluntários é proporcional ao ambiente de leveza e descontração.

Capítulo 14
O processo

Tenha em mente que qualquer estrutura organizada necessita de processos claros. Não é diferente no tocante ao voluntariado. Torne conhecido o processo de levantar voluntários e faça que todas as pessoas tenham acesso ao cronograma de treinamento.

Além disso, certifique-se de que todos têm ciência do que se espera deles e tenha o manual atualizado para qualquer consulta. Siga com firmeza a questão do horário, da assiduidade e do envolvimento da equipe. Defina bem quais são as regras inegociáveis e qual é o limite de decisão de cada um.

O que, o porquê e o como devem ser revisados, comunicados e repetidos incansavelmente.

Ter uma linguagem única é uma questão de sobrevivência e um princípio imensurável:

> E disse o Senhor: "Eles são um só povo e falam uma só língua, e começaram a construir isso. Em breve nada poderá impedir o que planejam fazer" (Gênesis 11.6).

É importante frisar esse ponto no processo de levantar e manter um alto padrão com os voluntários e trabalhar com a equipe uma linguagem única.

Deixe-me usar o texto novamente. Na perspectiva de Deus, o sucesso daquelas pessoas se dava tão somente porque eram unidas e tinham linguagem única. Depois Deus apenas fez que entre eles a linguagem fosse diferente e tudo foi destruído.

Muitos líderes não se importam com esse princípio, ou deveriam ser mais intencionais quando o fizerem. Para mim, esse é um dos fundamentos dos quais não abro mão. Minha equipe de voluntários é treinada para usar uma só linguagem e a mesma comunicação na saudação às pessoas.

O líder é que decide se será mais formal ou informal, contanto que seja a mesma forma para todos. Se a linguagem entre as equipes é única, isso se nota tanto na comunicação interna quanto diante do público. Tenho visto que tem sido mais fácil criar uma unidade do que fazer a equipe entender e praticar a importância de uma só linguagem; no entanto, quando isso ocorre, é visível o ganho que se tem e a eficácia no serviço.

Capítulo 15
Termo de compromisso

Ocorreu um enorme ganho no momento em que percebemos a necessidade de um termo de compromisso que evidenciasse a importância do serviço voluntário e principalmente o impacto direto que uma conduta saudável do voluntário teria na vida das pessoas às quais servimos.

Não se trata de assinar um documento juridicamente perfeito e com efeito legal perante a justiça, mas de fazer uma aliança perante Deus e ter lealdade com a instituição na qual servimos.

Nesse aspecto, foi notório o ganho de várias formas na conscientização, na disciplina, no caráter formal e na seriedade do serviço, bem como na cumplicidade entre todos na equipe, ou seja, a conduta inadequada de um afetaria toda a equipe; principalmente as pessoas beneficiadas seriam as mais prejudicadas.

O termo de compromisso envolve os seguintes aspectos: dependência de Deus, lealdade com a visão da instituição, submissão a uma liderança, valor do caráter e de atitudes íntegras, ética com a equipe e respeito à pessoa a quem se serve.

É importante formalizar e transformar esse compromisso em celebração, talvez na festa dos voluntários ou no dia do treinamento, e repetir o evento duas a três vezes por ano.

Nesse dia, os voluntários assinam o termo e cada um entrega-o a seu líder. Tenha a certeza de que essa atitude fará que seja mais do que um papel assinado; será algo escrito no coração e na mente.

Outra sugestão é encorajar o voluntário a ter seu compromisso assinado juntamente com uma testemunha e transformar esse documento em uma moldura fixada na parede do quarto, da sala, do escritório, em um lugar visível para ser lembrado.

Um aspecto importante sobre a assinatura do termo é que ele alinha as expectativas do voluntário com a igreja e vive versa. Isso é essencial, porque em momentos nos quais um novo alinhamento é necessário. Assim também, no caso de algum aspecto do termo não estar sendo respeitado, é muito mais fácil remeter a algo que o voluntário já sabia que era esperado; ao contrário do caso de não haver um termo, pois neste o líder apenas assumiu que o voluntário deveria saber.

Momentos como esses precisam ser eternizados e registrados. Precisamos entender que Deus aprecia o que se faz com o coração, pois somente por meio dele é que o serviço voluntário tem valor. Nunca chame de passageiro e momentâneo o que Deus tratou como algo que tem resultados eternos.

Parte IV
Ultrapassando as fronteiras

Capítulo 16
Ampliando a visão

> [...] *Passo agora a mostrar a vocês um caminho ainda mais excelente.*
> 1Coríntios 12.31

Tudo começou quando percebi que tudo que estávamos fazendo era voltado quase exclusivamente para o público interno, em nosso caso os membros da igreja.

Nossa visão de servir ao próximo resumia-se ao estacionamento da igreja, à sala dos visitantes da igreja, à recepção interna e externa da igreja, ao som, à iluminação. As demais áreas estavam direcionadas para os membros da igreja.

Foi aí que acordei e comecei a pensar: "Será que é sobre a igreja que Deus nos tem dado a graça de ter esse exército de voluntários? Será que é somente sobre nós? A partir daquele momento, confesso que fiquei incomodado, e despertou em mim um profundo desejo de juntar nosso povo e começar a pensar e agir em prol da cidade, do bairro, da vizinhança.

Passei a entender que o ambiente da igreja, ou quem sabe da instituição, é onde tudo nasce, uma espécie de laboratório, para nós, voluntários, pormos em prática os dons e talentos e o amor de Cristo, mesmo que isso implique ter acertos e falhas, corrigir erros, tratar do ego e aprender em um ambiente de certa forma confortável. Porém, ele não pode ser o fim.

Por favor, não quero desmotivar você, leitor, que nem iniciou esse processo em sua organização; pelo contrário, quero que você já comece a imaginar esse "caminho sobremodo excelente", e permita-me dizer que ele está intrinsecamente ligado à comunidade local.

É bom reler sobre o voluntário samaritano; sim, aquele que decidiu enxergar o invisível aos olhos do sacerdote e do levita. E a pergunta é: na nossa sociedade, quem são os invisíveis?

> "Mas um samaritano, estando de viagem, chegou onde se encontrava o homem e, quando o viu, teve piedade dele. Aproximou-se, enfaixou-lhe as feridas, derramando nelas vinho e óleo. Depois colocou-o sobre o seu próprio animal, levou-o para uma hospedaria e cuidou dele. No dia seguinte, deu dois denários ao hospedeiro e lhe disse: 'Cuide dele. Quando eu voltar, pagarei todas as despesas que você tiver'."

Confesso que minha visão sobre igreja mudou radicalmente quando tive a coragem de responder e agir no seguinte aspecto: o que ninguém está realizando e que precisa ser feito? Quem ainda não está sendo alcançado? O que é preciso fazer que ninguém está fazendo para alcançar o que ninguém está alcançando e que estou disposto a fazer? Com quê Deus realmente se importa? Com quê Deus realmente se alegra e se entristece? Se você está disposto a responder a essas perguntas, entende do que estou falando.

Não se trata de dar esmolas, se bem que tem gente que nem isso faz, mas quero que você comece a sonhar com esse caminho excelente em que nós, como igreja, vamos começar a trilhar em direção à sociedade, fazendo por ela mais do que dela recebemos.

A igreja que se desperta para mudar a realidade da sociedade passa a ser proativa, sem jogar a responsabilidade sobre terceiros. Chegou a hora de virar o jogo. Chegou o momento do verdadeiro avivamento que tanto pedimos; o avivamento que nos transformará pelo simples fato de servir e amar o próximo.

Menciono a seguir algumas ações práticas que podem inspirar você a realizar em sua comunidade e provavelmente fazer ainda melhor.

Capítulo 17
Ame seu vizinho

A primeira vez que realizamos essa atividade foi em uma comunidade na qual temos um trabalho social bem ativo. Tratava-se exclusivamente de reformar algumas casas de famílias extremamente pobres e equipá-las com móveis e equipamentos domésticos de primeira necessidade, como cama, colchão, fogão, geladeira, cadeiras e sofá e, em alguns casos, até televisão e itens sonhados pelos moradores.

A beleza desse projeto foi o envolvimento da igreja na doação de material e a diferença que fazem os voluntários. Nem preciso dizer sobre o sucesso dessa ação. Foi realmente incrível.

O mesmo tem acontecido na cidade de Natal, onde cada ano toma uma proporção de abrangência tal a ponto de os órgãos governamentais reconhecerem a importância da igreja no cuidado com a cidade. A quantidade de horas do serviço voluntário, o número de pessoas beneficiadas, a quantidade de alimentos e materiais doados são realmente algo a ser celebrado.

Guardadas as devidas proporções, acredito que você já tenha feito o mesmo. A questão é: Por que isso não se torna parte da missão da igreja? Porque não transformar isso em atividade corriqueira em nosso calendário? Não seria algo extremamente benéfico escutar o depoimento de pessoas leigas, profissionais da saúde, empresários e profissionais liberais declarando que tiveram sua vida transformada pelo simples fato de servirem a outras pessoas?

Fico imaginando quanto o povo da cidade respeitaria as igrejas e quanto o evangelho de Jesus seria visto de outra forma. Queremos encher as igrejas utilizando métodos que todos adotam e que em sua maioria funcionam, mas que não têm tanta eficácia com o passar dos anos. Aqui vai algo que tenho no coração: acredito que o voluntariado seja a forma mais eficaz de evangelismo, e não se trata de método. Honestamente, não precisamos de métodos, mas, sim, de voltar ao evangelho simples, servir às pessoas, o jeito mais eficaz de mostrar que amamos.

Capítulo 18
Juntando-se com quem já faz

Conheci o Fábio Silva em meados de 2002 e, naquela ocasião, estávamos juntos em um treinamento na cidade de Florianópolis, no sul do Brasil. Foram exatos sete dias para nos conhecermos; dali nasceu uma amizade que dura até hoje.

Naquela ocasião, tomei a decisão de me dedicar exclusivamente à igreja, e um ano depois o Fábio iniciou o projeto Novo Jeito, uma ONG que nasceu na sala da casa dele, com um grupo de amigos, para trabalhar em causas emergenciais primeiramente em Recife, depois no interior de Pernambuco e que acabou se espalhando por todo o país.

Do Novo Jeito, o Fábio saiu da empresa familiar de que fazia parte e assumiu a profissão de empreendedor social, dando início à Porto Social, uma incubadora de projetos sociais, que recebe por um período de doze meses organizações e projetos devidamente classificados que desejam se capacitar para desempenhar melhor sua missão.

O resultado de tudo isso na cidade do Recife foi tão extraordinário que várias cidades do Brasil seguiram esse modelo e, no mês de agosto de 2018, foi lançado para todo o país o Transforma Brasil, cuja proposta é se tornar a maior plataforma de engajamento civil do país, uma plataforma de voluntariado que une quem já faz com pessoas que desejam fazer.

Foi então que voltamos a nos falar novamente, porque, como relatei, percebi que a nossa experiência com voluntariado deveria ultrapassar os limites da igreja e começar a servir na cidade.

Visitei a Porto Social em Recife e fiquei simplesmente encantado (e quem não ficaria?). A coisa é simples, mas de um poder de engajamento civil impressionante.

Dessa visita, tomamos a decisão de nos tornar parceiros e começar uma experiência de ser uma igreja adotante da mesma plataforma, bem como acolher ONGs da cidade com a mesma visão da organização Porto Social.

Elas se dirigem a momentos específicos e participam de treinamentos com profissionais voluntários da igreja por meio dos quais recebem ferramentas para se tornarem mais organizadas, capacitadas, engajadas e influentes.

Quando isso acontece, o poder de engajamento civil passa a ser mais eficaz e mais abrangente. Imagine não apenas uma parte da igreja servindo, mas a igreja toda sendo voluntária em causas comunitárias. Nossa missão é ser uma inspiração para todas as igrejas dentro e fora do Brasil que reconhecem que devemos e podemos fazer mais.

Quando se trata de igreja, quanto espaço físico ocioso na semana e quantas pessoas desejosas de servir, mas que de uma forma ou de outra não conseguem se engajar por questões lógicas de limitação de tempo, lugar e de identificação mesmo.

Mas e se na igreja todos os membros servissem a todos ao mesmo tempo? Impossível. Agora, e se, além de seu público interno, a igreja oferecer por meio de uma plataforma oportunidades de engajamento para servir à cidade? Não somente os membros da igreja, mas todos os amigos, familiares que não estão na igreja iriam se engajar e, de alguma forma, se envolveriam com a igreja local.

Não sei você, mas meu coração palpita mais forte quando começo a imaginar todas as igrejas, não importa o tamanho, sendo esse local de capacitação, bem como de engajamento cívico. Então, sim, podemos sonhar em transformar bairros, cidades, países. Então será possível sair de uma posição passiva para agir em causas que têm o poder de transformar de fato nossa comunidade local.

Capítulo 19
Esta cidade é minha

Eu já orei diversas vezes pedindo a minha cidade para Jesus e me considero acima da média quando o assunto é orar pelo meu país e pelas cidades em que estamos inseridos como igreja, mas hoje percebo claramente que a legalidade e o domínio de uma cidade passam pelo quanto servimos a essa cidade.

Obviamente é necessário orar, mas, quando agimos em favor da cidade, o nível de aceitação e inserção é outro, completamente diferente. Mas que igreja pode dominar uma cidade se não estiver servindo de forma proporcional? Veja o que o profeta Jeremias escreve sobre o exílio do povo na Babilônia:

> "Construam casas e habitem nelas; plantem jardins e comam de seus frutos. [...] Busquem a prosperidade da cidade para a qual eu os deportei e orem ao Senhor em favor dela, porque a prosperidade de vocês depende da prosperidade dela" (Jeremias 29.5,7).

Vamos ao texto novamente. Deus nos convida para uma atitude espiritual, mas também afirma que nossa prosperidade depende da prosperidade da cidade. Como prosperar em uma cidade suja, violenta, injusta, com questões sérias de exploração sexual de menores e distribuição injusta de renda? Como transformar uma cidade pobre em uma cidade próspera? Orando e servindo a essa cidade para que ela prospere a fim de que nossos investimentos, quer financeiros quer sociais, tenham retorno e sejam aplicados em nossa própria terra.

Pense comigo qual é sua definição de cidadania? Lendo o texto mencionado, vejo claramente que existe uma questão de mão dupla: o tempo que invisto orando, amando e servindo à minha terra é proporcional ao que colherei dela.

> A terra está contaminada pelos seus habitantes, porque desobedeceram às leis, violaram os decretos e quebraram a aliança eterna. Por isso a maldição consome a terra, e seu povo é culpado. Por isso os habitantes da terra são consumidos pelo fogo a ponto de sobrarem pouquíssimos. (Isaías 24.5,6)

Cidadania é o nível de responsabilidade que tenho para com a terra em que habito; quanto assumo o que posso fazer em favor do meu povo, da minha cidade, em prol da comunidade local.

Agora que você entendeu, tome posse de sua cidade pelas vias certas.

Capítulo 20
Generosidade que transforma

Aquele que supre a semente ao que semeia e o pão ao que come também lhes suprirá e multiplicará a semente e fará crescer os frutos da sua justiça. Vocês serão enriquecidos de todas as formas, para que possam ser generosos em qualquer ocasião e, por nosso intermédio, a sua generosidade resulte em ação de graças a Deus.

2Coríntios 9.10,11

Em minha opinião, generosidade é o amor posto em prática, ou seja, uma vez que está dentro de nós, acaba levando-nos a agir com generosidade. É no espaço da generosidade que o sacrifício se encontra com o prazer; em outras palavras, exercer generosidade custa, tem um alto preço, mas ao mesmo tempo tal sacrifício é exercido com alegria.

Falando em sacrifício, é bom recordar que, para ser generosa, uma pessoa sempre terá algo que se consumirá em sua vida, não é gratuito. Diferentemente da esmola, que é o resultado de uma condição em que há sobra, a generosidade tem um preço; ela faz diferença em quem dá e em quem recebe.

Outro aspecto sobre generosidade é que ela é exercida não porque temos, mas, sim, porque somos. Deixe-me explicar.

Quantas pessoas esperam ter para dar ou ser generoso. Mas o generoso vê diferente. Ele pensa: "Se não temos dinheiro, temos comida. Se não temos comida, temos roupa. Se não temos roupa para doar, podemos abrir a casa. Se não houver uma casa, temos contatos para acolher ou ajudar uma pessoa". Porque o generoso é visionário, é amoroso, é cheio de Deus; ele sempre tem algo para dar e nunca fica de fora.

Por que toda essa definição? Pelo simples fato de que a questão de amar e servir passa por pessoas generosas, pessoas que sempre terão algo a acrescentar. Nossa generosidade é que transforma uma sociedade. Entender isso faz que a cidade seja nossa responsabilidade, bem como nos leva a sempre fazer algo por ela.

> Vocês serão enriquecidos de todas as formas, para que possam ser generosos em qualquer ocasião e, por nosso intermédio, a sua generosidade resulte em ação de graças a Deus. (2Coríntios 9.11)

Na passagem anteriormente citada, vejo claramente que Deus tem um compromisso com as pessoas generosas e ele anda à procura de dar por intermédio dessas pessoas. O desafio é viver sendo um canal por onde a riqueza de Deus passará através de nós e que nunca parará em nós mesmos.

Queira Deus que sejamos pessoas nas quais ele possa confiar para atender às necessidades alheias.

Eu vejo cidades sendo transformadas, comunidades impactadas, pessoas necessitadas sendo alcançadas pela generosidade dos voluntários. O Reino de Deus não funciona quando damos para receber em troca, mas quando plantamos para colher. As pessoas generosas são verdadeiros fazendeiros, pois sabem muito bem que plantar generosidade na vida dos outros é plantar a semente certa em terreno fértil.

A generosidade também é vista na perspectiva bíblica como um dom, ou seja, não nascemos assim; é Deus que nos concede ser generosos. Portanto, devemos pedir a ele o dom de dar.

> Se o seu dom é servir, sirva; se é ensinar, ensine; se é dar ânimo, que assim faça; se é contribuir, que contribua generosamente [...]. (Romanos 12.7,8)

Oro para que Deus derrame esse dom em nossa vida e que sejamos instrumentos capazes de transformar cidades inteiras com nossa generosidade.

Capítulo 21
Ninguém nasce grande

Quero deixar uma palavra final de encorajamento a você que chegou até aqui na leitura deste livro.

Às vezes, em meio a tanta informação, você se vê tão pequeno, ou em uma igreja de poucas pessoas, ou participante de uma instituição que parece insignificante. Grave isto: a única coisa que nasce grande é monstro, e ele dá trabalho.

Não despreze as coisas pequenas, os pequenos começos, um grupo pequeno, uma ação que por vezes beneficia poucas pessoas; continue sendo fiel no pouco, dê o melhor e aprenda com as coisas pequenas. Deus promete que, quando somos fiéis no pouco, ele concederá muito.

> "O senhor respondeu: 'Muito bem, servo bom e fiel! Você foi fiel no pouco, eu o porei sobre o muito. Venha e participe da alegria do seu senhor!' " (Mateus 25.23)

Saber aprender com o pouco, fazendo tudo bem feito e com o que temos à mão, nos capacita a realizar coisas maiores. Veja bem, o segredo é a capacitação, o preparo; foi essa a excelente dica dada por Jesus:

> "A um deu cinco talentos, a outro dois, e a outro um; a cada um de acordo com a sua capacidade. Em seguida partiu de viagem" (Mateus 25.15).

Lembro-me muito bem de ter começado nossa igreja com 20 pessoas; nunca imaginei chegar aonde cheguei, nunca pensei que atingiríamos o que conquistamos até agora. Mas o melhor ainda está por vir. Naquela época, sempre escutava em meu coração as palavras de Jesus: fiel no pouco é entrar na fila para receber mais ainda. Portanto, o céu é o limite!

Nem todos estão preparados para ser grandes, mas quero encorajar você a se capacitar para receber mais e mais de Deus. Quanto mais recebermos, mais seremos cobrados.

Que Deus abençoe sua vida grandemente e que ele o use com poder. Eu o convido a fazer parte desse exército que fará da nossa sociedade um mundo melhor, porque *Amar e servir é a cultura do voluntariado.*

Parte V
Apêndices

Apêndice 1
Descrição de cargos

Pastores Costa Neto e Nenen (*seniores*): Passar a visão e as expectativas sobre o funcionamento e os processos dos voluntários em cultos e atividades da Videira.

Pastores de *campus* ou extensão: Aplicar e adaptar a visão e as expectativas dos pastores *seniores* de acordo com a realidade e a necessidade específica de seu *campus* ou extensão.

Coordenação geral de culto: No período pré-culto, o coordenador geral do culto deve estar alinhado com os pastores de *campus*/extensão para organizar e garantir a execução do culto conforme planejado, bem com o coordenador geral de voluntários, para a organização das equipes de voluntários necessárias. Essa função lidera a coordenação de culto e sequencialmente os supervisores de horários, os líderes de equipes e os voluntários.

Coordenador geral dos voluntários: Gerenciar e promover os processos de recrutamento, treinamento, supervisão e avaliação dos voluntários que atuam em cultos, atividades e eventos da igreja. Solicitar a escala de voluntários para os cultos da igreja e para as atividades e eventos, bem como promover a Festa de Voluntários, que acontece semestralmente. Esta função lidera cinco coordenações de voluntários: coordenação social; coordenação profissional; coordenação operacional; coordenação do Videira *Kids* e coordenação do Criativo. Cada coordenador dessas equipes possui supervisores, líderes de equipes e voluntários.

Supervisores de departamento: O supervisor de cada departamento é responsável por formar equipes (escalas) de seu departamento para todos os cultos de seu *campus* ou extensão em que isso for necessário e para eventos da igreja, segundo solicitação do líder de voluntários. É responsável também por supervisionar e avaliar o desempenho e o funcionamento de seu departamento e equipes durante os cultos, promovendo, a partir disso, a manutenção de seu departamento por meio das reuniões sistemáticas e treinamentos gerais trimestrais. É também de responsabilidade do supervisor gerar em seu departamento o compromisso com a excelência no serviço (postura de voluntário profissional e de representantes da Videira).

Líder de equipes/horário: O líder de equipes/horário é responsável por formar, supervisionar e treinar sua equipe, com o auxílio do supervisor do departamento em que serve. É responsável também por liderar sua equipe, garantindo o bom funcionamento de seu departamento no culto em que estiver responsável, e de confirmar a escala de sua equipe para o supervisor de culto e do departamento em que está inserido.

Equipes: Cada equipe é responsável por seguir as instruções de seu líder de equipe/horário ou líder de departamento e por cumprir com as responsabilidades do termo de compromisso assinado pelo voluntário.

Equipes do departamento de culto

- BALCÃO DE INFORMAÇÕES

Objetivo:
Facilitar, informar e direcionar os membros e visitantes da Videira Sul quanto aos eventos, às programações e à organização da igreja

de modo geral, contribuindo para um melhor envolvimento de todos nas atividades que a igreja proporciona.

Responsabilidades:
1. Informar sobre as atividades e as programações da igreja.
2. Identificar onde a pessoa está em seu envolvimento com a igreja e saber direcioná-la para o próximo passo.
3. Auxiliar na inscrição de eventos ou atividades pontuais da igreja.

- BOAS-VINDAS

Objetivo:
Contribuir para a melhor organização do fluxo de entrada e saída de pessoas nos cultos, recepcionando com gentileza e disponibilidade, intensificando a atenção a indivíduos que exijam cuidados específicos.

Responsabilidades:
1. Abrir as portas.
2. Dar as boas-vindas e despedir com simpatia.
3. Oferecer pedidos de oração e agradecimento na fila.
4. Receber pedidos de oração e agradecimento, fazer resumo e entregar à recepção.
5. Organizar filas.
6. Identificar preferenciais e acomodar nas cadeiras da área externa enquanto aguardam a entrada no auditório.
7. Identificar crianças na fila e informar sobre Videira *Kids*.

- FAÇA SUA PARTE

Objetivo:
Orientar os membros da Videira Sul quanto à Jornada, contribuindo para um melhor envolvimento de todos. Além disso, auxiliar no recebimento de dízimos e ofertas.

Descrição de cargos

Responsabilidades:
1. Esclarecer todas as dúvidas em relação à Jornada, dízimo e ofertas.
2. Cadastrar os novos participantes da Jornada.
3. Viabilizar a participação efetiva de todos os membros da Jornada.

- *LOUNGE*

Objetivo:
Acolher os novos decididos (NDs) e os visitantes da igreja, auxiliando essas pessoas em seus primeiros contatos com a igreja e ajudando-as a dar os próximos passos no envolvimento com a igreja (GC, Curso Fundamentos, voluntariado).

Responsabilidades:
1. Ser responsável pela estratégia de acolhimento da igreja para todos os visitantes e NDs.
2. Conectar nossos visitantes e NDs após o culto dando prosseguimento à Experiência Videira.
3. Criar a melhor atmosfera possível para que nossos visitantes e NDs sintam-se acolhidos e sejam incentivados a dar o próximo passo.
4. Apresentar nossa igreja aos visitantes e NDs conforme *script* específico e sem imposição de nossa fé e crenças. Somos intencionais, não invasivos.
5. Incentivar os visitantes e os NDs a preencher um cadastro/ficha para que possamos posteriormente entrar em contato e expressar nossa gratidão em tê-los conosco.
7. Apresentar a estratégia de discipulado e relacionamento aos visitantes e NDs e encaminhar todos os NDs que resolveram se engajar por meio de um grupo de crescimento.

- LOUVOR

Objetivo:
Criar a atmosfera da celebração e preparar o coração das pessoas para a Palavra.

Responsabilidades:
— Ter uma banda formada e ensaiada para os cultos e eventos (quando solicitado).
— Ter um repertório de músicas relevantes e que comuniquem a visão, a missão e os valores em que acreditamos como Videira.
— Compor músicas que traduzam a cultura do Reino de Deus.

- PRODUÇÃO

Objetivo:
Promover a celebração do culto de acordo com a programação, facilitando o acontecimento de tudo que se dá no palco, no departamento técnico e na mídia, evitando quaisquer fatores ou desavenças que possam vir a distrair as pessoas durante o culto.

Responsabilidades:
1. Dar suporte ao pregador do dia, informando-lhe da programação e disponibilizando os materiais necessários para oferta, avisos, pregação (água, toalha de rosto, envelope do Faça Sua Parte, material pessoal do pregador, material de pregações interativas, elementos criativos etc.).
2. Dar assistência ao louvor, informando a equipe da programação e disponibilizando os materiais necessários para seu funcionamento.
3. Verificar o funcionamento dos equipamentos usados durante o culto (microfones, mídia, TVs etc.).

Descrição de cargos

4. Preservar a organização do palco.
5. Reservar lugares a pedido dos pastores *seniores*, dos pastores de *campus*/extensão e convidados.

- VIDEIRA *KIDS* (VK)

Objetivo:
Videira *Kids* é o espaço onde as crianças recebem amor, cuidado e ensino bíblico de forma divertida. Elas descobrem de forma criativa quem é Deus e em quem ele deseja que elas se tornem.

Responsabilidades:
1. Recepcionar crianças de 0 a 11 anos e pais/responsáveis de forma que eles se sintam seguros durante as horas em que elas ficarão sob nossa responsabilidade.
2. Ensinar a Palavra de Deus de forma prática e simples para cada idade com louvor, pregações e dinâmicas de forma que cada criança aprenda a amar a Deus, à igreja e sua importância no período em que os pais/responsáveis estarão no culto.
3. Desenvolver séries divertidas e interativas para que as crianças não só aprendam conteúdo, mas tenham uma verdadeira experiência de uma vida divertida e prazerosa com Jesus.
4. Organizar eventos como forma de alcançar mais crianças, como: *Acamp Connect*, *KidsFest*, Noite do Pijama e Batalha das Tribos.
5. Liderar GCs de crianças com o intuito de proporcionar a elas relacionamentos saudáveis.
6. Fazer reuniões semestrais com pais/responsáveis para que conheçam o papel do Videira *Kids* e possam contribuir com o crescimento de cada criança.

- OFERTA

Objetivo:

Gerir de forma organizada e segura o recolhimento de dízimos, ofertas e Faça Sua Parte, que acontecem nos cultos e eventos da igreja, facilitando assim o controle do processo financeiro.

Responsabilidades:
1. Acompanhar o momento da oferta durante o culto.
2. Receber os recipientes da oferta do monitor da recepção interna e garantir que eles sejam levados à sala de contagem.
3. Fazer a contagem da oferta seguindo o procedimento dado pelo setor financeiro da igreja.

- RECEPÇÃO EXTERNA

Objetivo:

Receber com alegria e atenção todos os nossos membros e visitantes, orientando-os a ocupar de forma organizada os espaços internos e externos destinados a estacionamento em nossos *campus*.

Responsabilidades:
1. Recepcionar as pessoas nos estacionamentos e ao redor da igreja.
2. Facilitar a organização e o estacionamento dos carros.
3. Preservar as vagas prioritárias e reservadas.

- RECEPÇÃO INTERNA

Objetivo:

Receber, acolher e acomodar o membro e visitante desde a entrada no auditório, estando apto a atendê-lo em qualquer solicitação durante o culto, servindo-os com alegria e disponibilidade.

Responsabilidades:
1. Acolher e acomodar as pessoas nos lugares disponíveis.
2. Reservar lugares preferenciais e acomodar neles as pessoas para quem os assentos foram reservados.
3. Entregar o cartão do *Lounge* para os visitantes e cumprimentá-los.
4. Realizar o momento da oferta, conforme orientação do monitor.
5. Realizar a contagem de mãos levantadas no momento do apelo.
6. Limpeza do templo e alinhamento das cadeiras.

- SALA DE MATERIAIS

Objetivo:
Controlar a entrega e a devolução dos materiais retirados da sala que forem utilizados durante cada culto ou atividade da igreja, promovendo o cuidado e a durabilidade deles.

Responsabilidades:
1. Protocolar a saída de todo o material previamente solicitado pelos departamentos ao líder de horário ou responsável por materiais das equipes.
2. Protocolar o recebimento de todo o material devolvido por cada líder de horário ou responsável das equipes.
3. Garantir um estoque mínimo de materiais para suprir a necessidade dos departamentos em situações atípicas.
4. Guardar adequadamente os materiais e garantir que estes estejam aptos para uso.

5. Controlar o estoque de materiais.

- FOTOGRAFIA

Objetivo:
Registrar e captar os momentos de culto, eventos e programações da igreja para disponibilizar no *site* da igreja e nas mídias digitais (Instagram e Facebook).

Responsabilidades:
1. Fotografar pessoas que fazem parte da igreja em todos os ambientes da igreja local.
2. Editar fotos durante os cultos para que as imagens sejam postadas em quase tempo real.

- FILMAGEM

Objetivo:
Gravar e transmitir em tempo real os cultos e as programações da igreja pelo canal Videira no YouTube.

Responsabilidades:
1. Ajustar as três câmeras para transmitir da melhor maneira possível os cultos da igreja.
2. Direcionar as melhores imagens para a transmissão.
3. Ajustar no YouTube a melhor visualização da transmissão das programações.

Apêndice 2
Entrevista para líder de serviço

(SUPERVISOR/LÍDER DE EQUIPE)

Nome: _____

Estado civil: _____ Idade: _____

Celular: _____

E-mail: _____

GC: _____ Depto./função: _____

Tempo de conversão: _____ Tempo na Videira: _____

Líder superior: _____

Duração da entrevista: 40 min. (Máx.)

QUEBRA-GELO:

Reserve 1 minuto ou 2 para criar um ambiente confortável.

1. Fale resumidamente sobre seu contexto espiritual, familiar, profissional.

_____

_____

_____

2. Relate sobre seu histórico de serviço como voluntário na Igreja Videira.

_____
_____
_____

Por que e quando começou a servir? Em quais departamentos serviu?

_____
_____
_____

Em qual departamento está servindo? Por quê?

_____
_____
_____

3. Como está sua vida atualmente com Deus? E a leitura da Bíblia? E a oração?

_____
_____
_____

A quem você tem prestado contas? Você tem sido acompanhado espiritualmente?

_____
_____
_____

Você faz parte de um GC? Qual? Quem é seu líder? Por quanto tempo?

_____
_____
_____

4. Como é seu envolvimento nas rotinas de serviço no departamento de que faz parte?

_____
_____
_____

5. O que a seguinte frase significa para você?

"Não é sobre o que a igreja faz por mim, mas sobre o que eu faço pela minha igreja."

_____
_____
_____

RESUMO DA ENTREVISTA:

_____
_____
_____
_____
_____

Entrevista para líder de serviço

PARECER DO ENTREVISTADOR

_____
_____
_____
_____
_____

NOME DO ENTREVISTADOR:
_____

DATA: _____ / _____ / _____

Apêndice 3
Termo de compromisso do voluntário

Eu, _____,
assumo um compromisso com **Deus**, com a liderança da minha igreja e com os meus companheiros de equipe de servir em caráter voluntário na Videira, comprometendo-me em:

1. Ser submisso à visão e à liderança dos pastores *seniores* da Videira, pr. Costa Neto e pra. Nenen.

2. Ser membro da Comunidade Cristã Videira (dizimista, ofertante e membro ativo de um GC, com um prazo de 30 dias para fazer parte de um grupo).

3. Ser responsável pela minha escolha de servir como voluntário na Videira.

4. Ser responsável pelas minhas condições físicas e emocionais para ser um voluntário, respeitando toda e qualquer restrição física ou emocional que eu tenha, assim como toda e qualquer instrução médica.

5. Servir de acordo com a minha escala e atender aos cultos semanalmente.

6. Estar presente nas "Reuniões de Voluntários" antes do início do culto em que irei servir (horário de chegada esperado de todos os voluntários).

7. Ser assíduo nas escalas de serviço, comunicando com antecedência ao meu líder de equipe qualquer evento que impossibilite o meu comparecimento no horário estabelecido.

8. Estar aberto a receber instruções e direcionamento do meu líder de equipe e supervisor de horário quando necessário.

9. Cumprir com a responsabilidade de me tornar um representante da Videira, a partir do momento em que me torno um voluntário, mantendo uma vida condizente com os valores que a igreja promove, não trazendo desonra para mim nem para a igreja.

10. Participar ativamente das reuniões e dos treinamentos para voluntários, tendo em mente que seu objetivo sempre será promover melhorias para a qualidade do serviço e funcionamento dos departamentos e da igreja.

11. Não usar minha posição na igreja para constranger membros a financiarem projetos ou necessidades pessoais.

12. Fazer tudo que estiver ao meu alcance para promover a melhor "experiência Videira" para os nossos membros e visitantes e facilitar o encontro destes com Jesus.

13. Vestir-me de forma apropriada em todos os momentos e usar a "blusa de voluntários" durante o serviço. *OBS:* A blusa de voluntários deve ser usada exclusivamente durante o serviço e não deve ser customizada.

14. Desempenhar o meu serviço de forma excelente e leve.

Estou ciente de que para ser voluntário na Igreja Videira o cumprimento dos tópicos anteriores são pré-requisitos e que eles têm por objetivo a preservação dos voluntários e da igreja. Estou ciente também de que ser voluntário é um ato espontâneo e sem remuneração.

Fortaleza, _____ / _____ / _____

_____ _____
Assinatura do Voluntário   Assinatura do Supervisor

E-mail de Departamento:
_____

Celular:
_____

Nome completo:
_____

Termo de compromisso do voluntário

Apêndice 4
Organogramas de voluntários

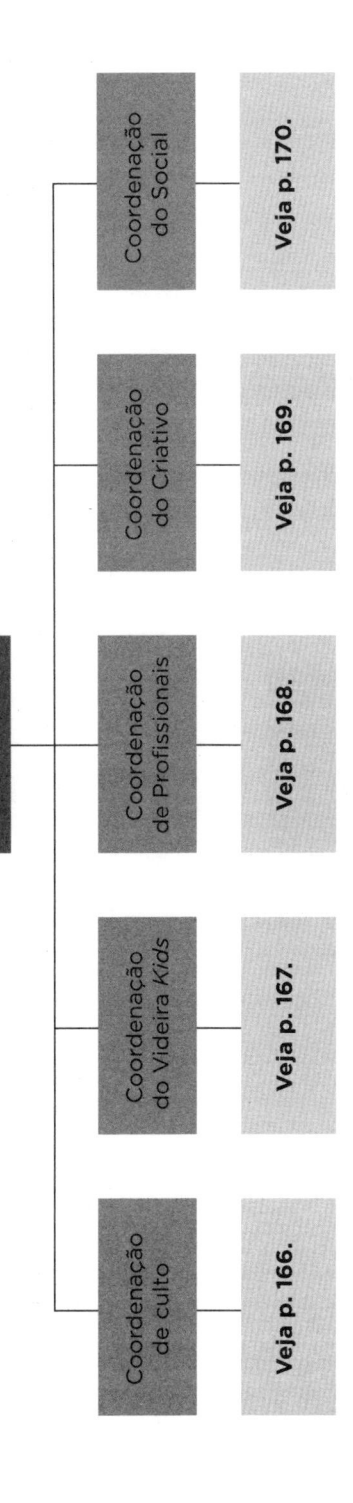

- **Gestão de voluntários**
  - Coordenação de culto — Veja p. 166.
  - Coordenação do Videira *Kids* — Veja p. 167.
  - Coordenação de Profissionais — Veja p. 168.
  - Coordenação do Criativo — Veja p. 169.
  - Coordenação do Social — Veja p. 170.

Amar e servir: a cultura do voluntariado

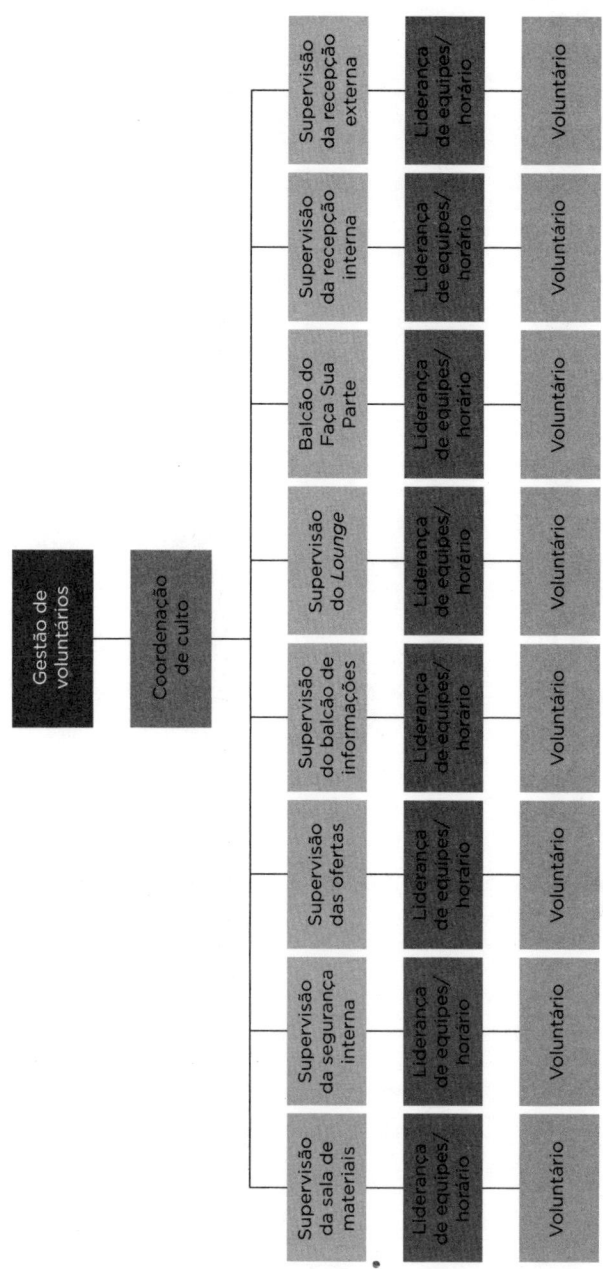

```
Gestão de voluntários
│
Coordenação de culto
├── Supervisão da sala de materiais → Liderança de equipes/horário → Voluntário
├── Supervisão da segurança interna → Liderança de equipes/horário → Voluntário
├── Supervisão das ofertas → Liderança de equipes/horário → Voluntário
├── Supervisão do balcão de informações → Liderança de equipes/horário → Voluntário
├── Supervisão do Lounge → Liderança de equipes/horário → Voluntário
├── Balcão do Faça Sua Parte → Liderança de equipes/horário → Voluntário
├── Supervisão da recepção interna → Liderança de equipes/horário → Voluntário
└── Supervisão da recepção externa → Liderança de equipes/horário → Voluntário
```

```
Gestão de voluntários
          │
Coordenação do Videira Kids
          │
┌─────────┬─────────┬─────────┬─────────┬─────────┬─────────┬─────────┐
Berçário  Arca    Reino   Safári  Connect Fotografia Logística
  │        │        │        │        │        │          │
Líder    Líder   Líder   Líder   Líder   Líder de   Líder de
de sala  de sala de sala de sala de sala equipe     equipe
  │        │        │        │        │        │          │
Voluntário ...  (Voluntário em cada ramo)
```

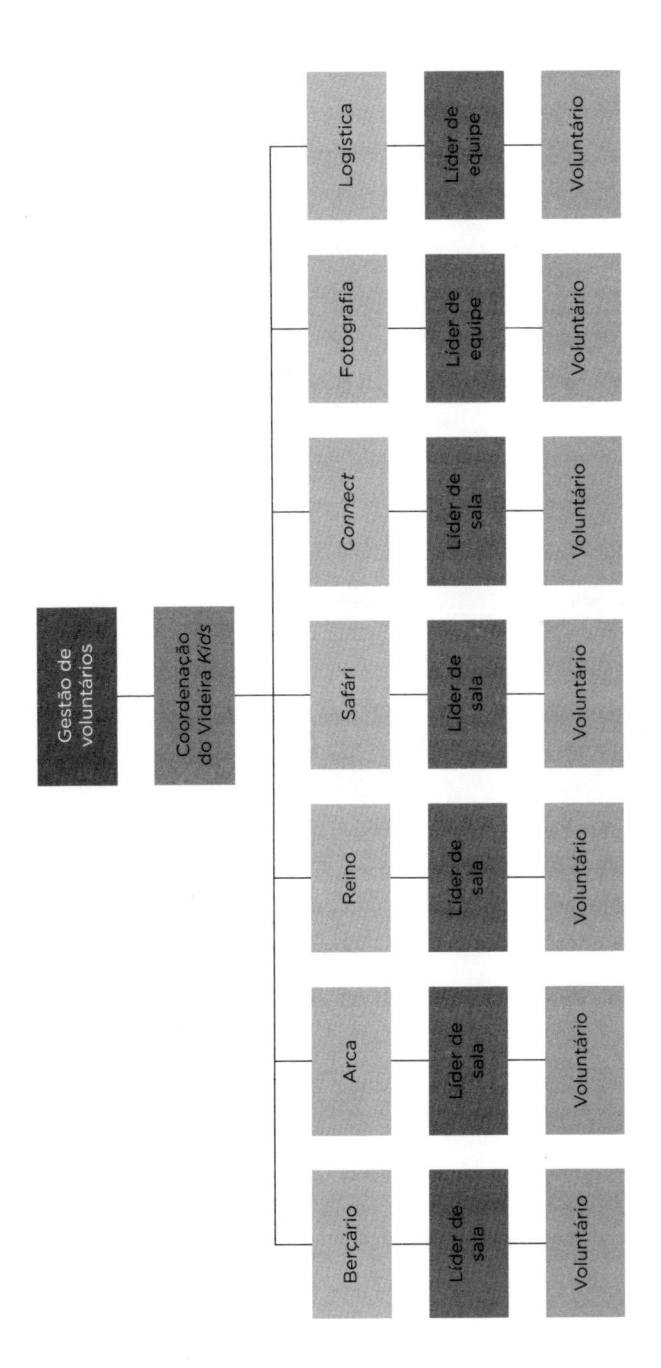

Organogramas de voluntários

```
                    ┌─────────────────┐
                    │   Gestão de     │
                    │   voluntários   │
                    └────────┬────────┘
                             │
                    ┌────────┴────────┐
                    │  Coordenação    │
                    │ de Profissionais│
                    └────────┬────────┘
              ┌──────────────┼──────────────┐
    ┌─────────┴──────┐ ┌─────┴──────┐ ┌─────┴─────────┐
    │   Supervisor   │ │ Supervisor │ │  Gestão de    │
    │      VEP       │ │    AVEC    │ │   Pessoas     │
    │                │ │            │ │(voluntários na semana)│
    └────────┬───────┘ └─────┬──────┘ └───────┬───────┘
             │               │                │
    ┌────────┴───────┐ ┌─────┴──────┐ ┌───────┴───────┐
    │   Voluntário   │ │ Voluntário │ │  Voluntário   │
    └────────────────┘ └────────────┘ └───────────────┘
```

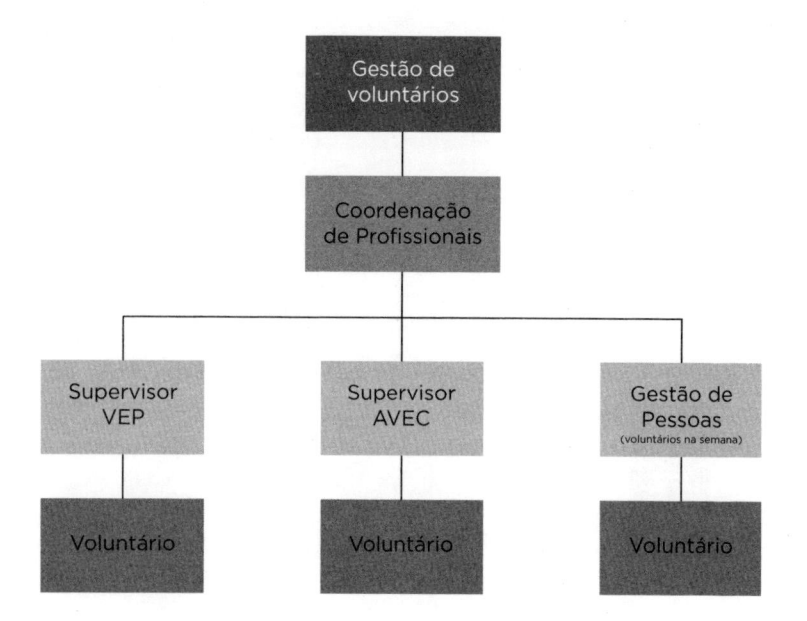

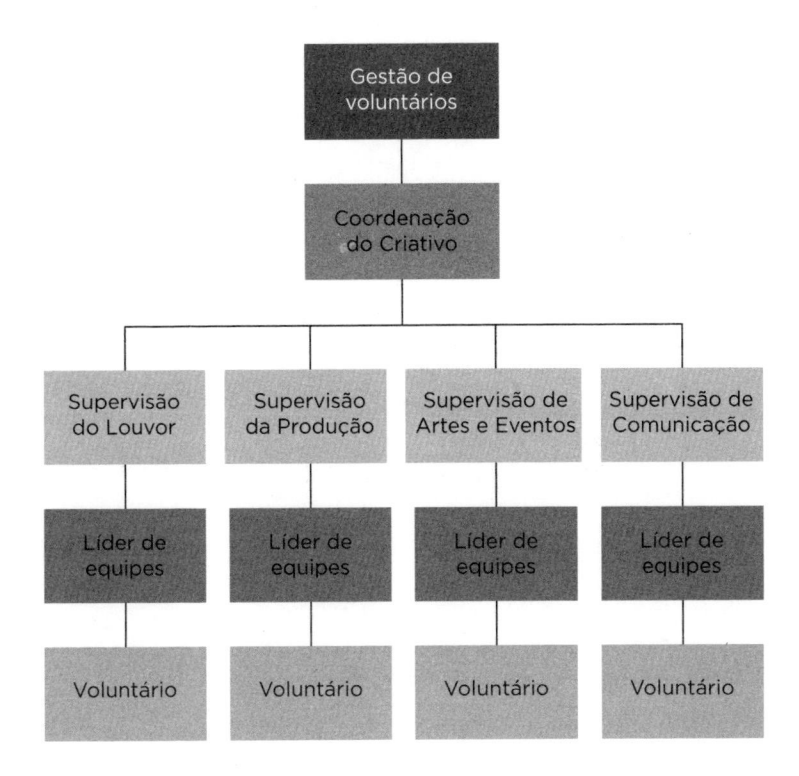

```
                    ┌─────────────────┐
                    │   Gestão de     │
                    │   voluntários   │
                    └────────┬────────┘
                             │
                    ┌────────┴────────┐
                    │  Coordenação    │
                    │   do Criativo   │
                    └────────┬────────┘
         ┌───────────────┬───┴───────────┬───────────────┐
┌────────┴──────┐ ┌──────┴──────┐ ┌──────┴──────┐ ┌──────┴──────┐
│  Supervisão   │ │ Supervisão  │ │Supervisão de│ │Supervisão de│
│  do Louvor    │ │ da Produção │ │Artes e Event│ │Comunicação  │
└────────┬──────┘ └──────┬──────┘ └──────┬──────┘ └──────┬──────┘
┌────────┴──────┐ ┌──────┴──────┐ ┌──────┴──────┐ ┌──────┴──────┐
│   Líder de    │ │  Líder de   │ │  Líder de   │ │  Líder de   │
│   equipes     │ │  equipes    │ │  equipes    │ │  equipes    │
└────────┬──────┘ └──────┬──────┘ └──────┬──────┘ └──────┬──────┘
┌────────┴──────┐ ┌──────┴──────┐ ┌──────┴──────┐ ┌──────┴──────┐
│  Voluntário   │ │ Voluntário  │ │ Voluntário  │ │ Voluntário  │
└───────────────┘ └─────────────┘ └─────────────┘ └─────────────┘
```

Organogramas de voluntários

```
                    ┌──────────────────┐
                    │    Gestão de     │
                    │   voluntários    │
                    └────────┬─────────┘
                             │
                    ┌────────┴─────────┐
                    │   Coordenação    │
                    │    do Social     │
                    └────────┬─────────┘
          ┌──────────────┬───┴────┬──────────────┐
          │              │        │              │
┌─────────┴──┐ ┌─────────┴──┐ ┌───┴────────┐ ┌───┴────────┐
│ Supervisor │ │ Supervisor │ │ Supervisor │ │ Supervisor │
│  de Stand  │ │ de Notas/  │ │ de Cursos  │ │  de Saúde  │
│            │ │   Cupons   │ │            │ │            │
│            │ │  Fiscais   │ │            │ │            │
└─────┬──────┘ └─────┬──────┘ └─────┬──────┘ └─────┬──────┘
      │              │              │              │
┌─────┴──────┐ ┌─────┴──────┐ ┌─────┴──────┐ ┌─────┴──────┐
│ Voluntário │ │ Voluntário │ │ Voluntário │ │ Voluntário │
└────────────┘ └────────────┘ └────────────┘ └────────────┘
```

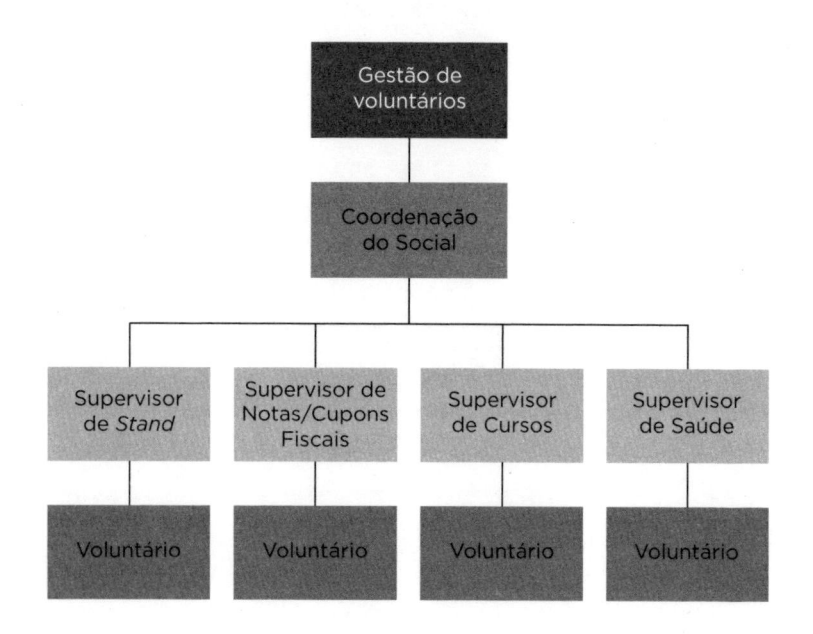

Apêndice 5
Organograma de culto

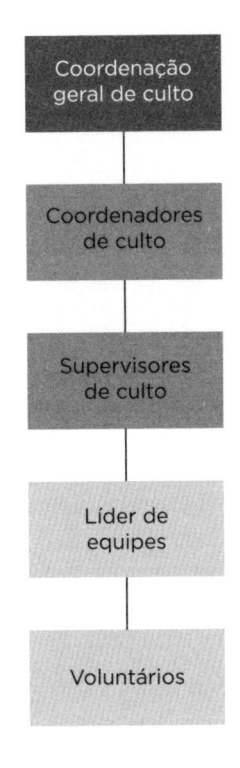

```
Coordenação
geral de culto
      │
Coordenadores
  de culto
      │
 Supervisores
   de culto
      │
   Líder de
   equipes
      │
  Voluntários
```

Apêndice 6
Programações — Videira

Programação (culto durante a semana)

18h50	Chegada dos Voluntários/Preparação culto
19h00	Fim da passagem de som / Reunião geral voluntários (10min)
19h10	Posicionamento dos voluntários/Música ambiente/Abrir as portas
19h25	*Countdown* (2min30)
19h27	*Pre-roll* (2min30)
19h30	Louvor (20min)
19h50	Oração transitória (1min)
19h51	Palavra da oferta (5min) Boas-vindas *Lounge*: explicar o que é o departamento e, em seguida, identificar os visitantes.
19h56	Videira *News* (5min)
20h00	Apresentação do pregador
20h01	Pregação (40min)
20h41	Ministração (5min)
20h46	Apelo (5min)
20h51	Oferta de gratidão (5min)
20h55	Encerramento — louvor
21h00	Música ambiente

Programação detalhada (Domingo — 9h)

08h00	Reunião de supervisores (10min)
08h15	Reunião de departamentos (10min)
08h30	Preparação culto

08h40 Posicionamento dos voluntários/Música ambiente/Abrir as portas
08h55 *Countdown* (2min30)
08h57 *Pre-roll* (2min30)
09h00 Louvor (20min)
09h20 Oração/transição (1min)
09h21 Oferta (4min)
Aviso para preletor: Boas-vindas — *Lounge*: Explicar o departamento e, em seguida, identificar os convidados
09h25 Videira *News* (4min)
09h29 Apresentação (8min)
09h37 Pregação (40min)
10h17 Ministração (5min)
10h22 Apelo (4min)
10h26 Encerramento — Louvor
Música ambiente

Programação detalhada (Domingo — 11h)

10h00 Reunião de supervisores (10min)
10h15 Reunião de departamentos (10min)
10h30 Preparação culto
10h40 Posicionamento dos voluntários/Música ambiente/Abrir as portas
10h55 *Countdown* (2min30)
10h57 *Pre-roll* (2min30)
11h00 Louvor (20min)
11h20 Oração (4min)
11h24 Transição (1min)
11h25 Generosidade (4min)
11h29 Oferta (4min)
Aviso para preletor: Boas-vindas — *Lounge*: Explicar o departamento e, em seguida, identificar os convidados
11h33 Videira *News* (4min)
11h37 Pregação (40min)
12h17 Ministração (5min)

12h22 Apelo (4min)
12h26 Encerramento — Louvor
Música ambiente

Programação detalhada (Domingo — 16h)

15h00 Reunião de supervisores (10min)
15h15 Reunião de departamentos (10min)
15h30 Preparação culto
15h45 Posicionamento dos voluntários/Música ambiente/Abrir as portas
15h55 *Countdown* (2min30)
15h57 *Pre-roll* (2min30)
16h00 Louvor (20min)
16h20 Oração (4min)
16h24 Transição (1min)
16h25 Generosidade (4min)
16h29 Oferta (4min)
Aviso para preletor: Boas-vindas — *Lounge*: Explicar o departamento e, em seguida, identificar os convidados
16h33 Videira *News* (4min)
16h37 Pregação (40min)
17h17 Ministração (5min)
17h22 Apelo (4min)
17h26 Encerramento — Louvor
Música ambiente

Programação detalhada (Domingo — 18h)

17h00 Reunião de supervisores (10min)
17h15 Reunião de departamentos (10min)
17h30 Preparação culto
17h45 Posicionamento dos voluntários/Música ambiente/Abrir as portas
17h55 *Countdown* (2min30)
17h57 *Pre-roll* (2min30)
18h00 Louvor (20min)

18h20   Oração (4min)
18h24   Transição (1min)
18h25   Generosidade (4min)
18h29   Oferta (4min)

Na semana do culto

- Reunião com Coordenador geral de culto
- Ter em mãos programação definida com tempo detalhado
- Ter em mãos esboço da mensagem
- Manter relacionamento com a equipe direta (supervisores)
- Ter encontro/ reunião com a equipe direta (supervisores)

Antes do culto

- Participar da reunião com a equipe da supervisão e checar junto ao supervisor:
  - Programação impressa distribuída
  - Ar-condicionado ligado
  - Posicionamento das cadeiras da fileira central
  - Fileiras reservadas
  - Vagas reservadas no estacionamento
  - Toalha do pastor disponível
  - TV
  - Música ambiente e bg "seja bem-vindo"
  - Checar se as portas estão sendo liberadas 20min antes do início do culto
  - Se o relógio da mídia está com marcando a hora certa (não está adiantado ou atrasado)
- Ver junto aos comunicadores os versículos e versões que vão usar para passar para mídia.

Caso um comunicador use uma versão diferente de outro comunicador no mesmo culto, lembrar de fazer a alteração.
- Garantir que todos os departamentos estão fluindo sem desfalque e de forma organizada e saudável.

Durante o culto

- Verificar letras nos telões
- Verificar qualidade de som, microfone
- Verificar slides de acordo com o esboço da mensagem
- Garantir *timing* atualizado
- Garantir que a programação se cumpra de forma eficaz e sem atrasos

Apêndice 7
Descrição de departamentos

Descrição de departamentos

- **PROCESSO:**
    1. Coordenadores de voluntários alinham o padrão (de acordo com o formulário abaixo) e solicitam respostas dos supervisores da sua área. Prazo: __ / __ / __
    2. Coordenadores de Voluntários respondem ao formulário (enviado via *link*) com as respostas recebidas dos supervisores de serviço depois de validá-las. Prazo: __ / __ / __
    3. Coordenador Geral de Voluntários valida respostas. Prazo: __ / __ / __
    4. Coordenador Geral de voluntários adiciona informações sobre o voluntariado geral. Prazo: __ / __ / __
    5. Envio para diagramação e leiaute. Prazo: __ / __ / __
    6. Finalização. Prazo: __ / __ / __

- **MODELO DE FOMULÁRIO:** Preenchido no 2º passo do PROCESSO.
    1. **Área de Voluntariado:**
        - Culto ( )
        - Videira *Kids* ( )
        - Social ( )

- Criativo ( )
- Profissional ( )
- Educacional ( )

2. **Missão da Área?**
   - Descrição breve da razão de existir ou missão principal da área selecionada.

   Dica: Para escrever essa missão, lembre-se:
   - Por que essa área de voluntariado existe?
   - Prestamos esse serviço para quê?

3. **Coordenador(a) Ocupante:**
   - Nome da pessoa que coordena a área de voluntariado selecionada acima.

4. **Pré-requisitos para servir na área:**
   - Descreva a necessidade da área de forma específica e direta.
   - COMUNS A TODOS
     - Assinatura do termo.
     - Fazer parte de um GC.
     - Entrevista com o líder de equipe.
   - ESPECÍFICOS DA ÁREA
     - Tempo de igreja?
     - Treinamento ou curso específico?
     - Faixa etária?

5. **Departamentos da Área:**
   Exemplo:
   - Área de Voluntariado — Criativo.
   - Departamentos da Área
     - Louvor.
     - Mídia.
     - Comunicação.
     - Dança.

6. **Descrição dos departamentos** — Responder aos itens abaixo sobre cada departamento:
   - **Nome do departamento.**
   - **Nome do supervisor ocupante** — Nome da pessoa que supervisiona o departamento descrito acima.
   - **Missão do departamento** — Descrição breve da razão de existir ou missão principal do departamento.
   - **Responsabilidades** — Descrição das atividades/ responsabilidades desse departamento.

   MODELO:
   1. Atividade/responsabilidade 1.
   2. Atividade/responsabilidade 2.
   3. Atividade/responsabilidade 3.

   - **Quantidade de voluntários ideal** — Escolha um auditório para determinar essa quantidade.
   - **Perfil do voluntário**

   Conhecimento = SABER. Conhecimentos técnicos, escolaridade, curso ou saber específico.

   MODELO:
   1. Conhecimento 1.
   2. Conhecimento 2.
   3. Conhecimento 3.

   EXEMPLO:
   1. Conhecimento/formação na área de pedagogia infantil.
   2. Conhecimento/formação na área contábil e financeira.
   3. Conhecimento/formação na área social.

Habilidade = SABER FAZER. Pôr em prática o saber.
MODELO:
1. Habilidade 1.
2. Habilidade 2.
3. Habilidade 3.

EXEMPLO:
1. Trato com pessoas difíceis.
2. Fluência verbal.
3. Relacionamento interpessoal.
4. Comportamento ético.
5. Foco em resultados.
6. Reconhecer erros.
7. Saber ouvir.
8. Foco em pessoas.

Atitude = QUERER FAZER. Atitudes que fazem conhecimentos e habilidades acontecerem na prática.
MODELO:
1. Atitude 1.
2. Atitude 2.
3. Atitude 3.

EXEMPLO:
1. Bom humor.
2. Proatividade.
3. Extroversão.
4. Introversão.
5. Persistência.
6. Carisma.
7. Persuasão.
8. Comprometimento.

Apêndice 8
Como conduzir uma reunião de voluntários

Os tópicos a seguir não são regras, mas sim princípios.

- **ANTES DA REUNIÃO:**

1. **Marque a reunião com antecedência, em um horário viável e em um lugar comum a equipe:** Por mais solícitos que os voluntários sejam, todos têm obrigações fora da igreja que precisam cumprir — trabalho, família, faculdade etc. Se eu quero que minha reunião seja bem-sucedida, é um princípio básico marcar a reunião com tempo suficiente para as pessoas se organizarem para estar lá. Assim como é imprescindível que aconteça em um horário viável. Algumas pessoas têm muita flexibilidade de horário, porém várias outras não têm e trabalham, por exemplo, no horário comercial; antes de marcar o horário da sua reunião, conheça a realidade da sua equipe e marque um horário no qual todos possam estar presentes. De outra forma, a pessoa que não puder ir vai se sentir desapontada, e essa não é a nossa intenção. O mesmo se aplica sobre o local da reunião, o ideal é que seja um local de acesso comum, como a igreja etc.

Se for na casa de participantes, um rodízio pode ser interessante para que o sacrifício de um deslocamento longo não recaia sempre sobre as mesmas pessoas. Observação: O *staff* da igreja deve se adaptar aos horários dos voluntários, não o contrário.

2. **Prepare-se:** Precisamos honrar o tempo dos nossos voluntários e otimizar nossos momentos com eles. Como líder ou facilitador de uma reunião de voluntários, é uma responsabilidade sua estar preparado para aquele momento. Com antecedência, pergunte-se: Qual o objetivo da reunião? Quem deve estar lá? Quais pontos vão ser abordados? Há algum material que eu precise estudar? Há alguma ata que eu possa enviar para os participantes? Não há nada mais frustrante do que sair de uma reunião com o sentimento de "tempo perdido", por outro lado não há nada mais gratificante do que sair de uma reunião com o sentimento de "que bom que eu faço parte disto".

3. **Preze por uma boa comunicação:** Comunicação é uma via de mão dupla. Para dar uma reunião como marcada não é necessário apenas avisar e assumir que todos leram, mas sim aguardar a confirmação de recebimento e de presença das pessoas. Detalhe, escolha um meio de comunicação eficiente para isso. O que as pessoas precisam saber sobre uma reunião: Onde será? Quando será? Qual horário de início e término? É necessário levar algo (informação, material, comida)? Qual objetivo da reunião? Observação: Se você espera que as pessoas possam contribuir com algo na reunião, por exemplo, ideias para um evento, você precisa avisá-las com antecedência sobre o assunto para que se preparem.

4. **Não desmarque de última hora:** Eventualidades acontecem, fato! Porém o princípio aqui é o mesmo do ponto 1, precisamos zelar pela e honrar a decisão das pessoas de "fazer tempo" para estarem ali. É importante também pontuar que é o líder/facilitador da reunião quem determina o tom. Quando faz isso, você abre espaço para as pessoas fazerem o mesmo. Em casos irremediáveis, uma sugestão é pedir desculpas e pedir para que alguém de confiança o substitua.

- **DURANTE A REUNIÃO:**

    1. **Seja pontual:** Comece e termine no horário proposto. Honre o tempo dos voluntários com a sua pontualidade. Eles com certeza tiveram de se organizar para estar ali. Nosso papel vai ser sempre facilitar o serviço das pessoas, não o tornar difícil. Quando somos pontuais sobre o horário de iniciar e terminar uma reunião, comunicamos aos voluntários que nós valorizamos a decisão deles de dedicar aquele tempo para estar ali. Quando acontecer de uma reunião acabar com atraso, é muito importante que o líder se desculpe por isso. Ignorar o fato comunica descaso com o que foi acordado. Tudo com muita leveza, claro!

    2. **Celebre a presença deles:** Gosto muito do princípio que diz que "o que se reconhece se repete".[1] Tire um momento para celebrar de forma genuína a presença de cada pessoa, honrar as que chegaram pontualmente e para reconhecer a decisão de cada uma delas.

[1] O autor e palestrante Andy Stanley, dos EUA, repete essa frase com recorrência em palestras. [N. do E.]

3. **Ore:** Ore pelas pessoas, pela igreja/organização, pela liderança, por uma reunião frutífera, pela presença e direção de Deus em cada assunto e decisão, por estratégias divinas. A oração coloca nossos olhos em Deus e no que ele pode fazer, coloca-nos na mesma condição de filhos e servos e aguça nosso sentido espiritual.

4. **Fale sobre a visão:** Não importa qual o assunto da reunião, a visão precisa estar presente. Seja uma reunião de rotina, de planejamento, de celebração, não importa! As pessoas precisam ser constante e ativamente lembradas do "por quê" atrás do "o quê". Fale sobre como aquela reunião contribui para que o todo se beneficie, para a realização da visão, para o alcance de tal objetivo. Lembre-as sobre o resultado almejado. Se a reunião não tem o seu "porquê" ligado à visão e missão da organização, essa reunião não deveria estar acontecendo.

5. **Tenha uma ata e continue a partir da reunião anterior:** Se a sua reunião acontece periodicamente, é muito importante que haja uma ligação entre elas. Uma ata sobre os assuntos discutidos, as decisões tomadas, as responsabilidades delegadas e as questões que ficaram em aberto é essencial. Não confie na sua memória para isso. É muito difícil você construir algo ao longo de suas reuniões se a cada nova reunião você levar um assunto 100% novo, esquecer que ouve uma reunião antes dessa e que haverá uma próxima. Se ficou algum assunto em aberto na reunião passada, retome o assunto para que haja um fechamento; se alguém ficou de prestar contas sobre algo, dê-lhe o tempo para isso; e assim por diante. Só então siga para a pauta do dia.

6. **Marque a próxima:** Se é uma reunião periódica, com dia e horário fixos, valide a próxima reunião. Caso não, e se for necessário, entrem em consenso e confirme as informações sobre a próxima reunião.

7. **Crie um ambiente de compartilhamento:** Eu sei que parece óbvio, mas acredite, é importante que isso seja citado. Uma reunião não é um monólogo nem uma palestra. E para que você considere algo que alguém disse, você precisa antes dar espaço para que a pessoa diga. É de responsabilidade do líder/facilitador criar um ambiente de compartilhamento. As pessoas não precisam só falar, elas precisam de um ambiente em que haja espaço para isso; em que a fala delas seja acolhida e considerada. Não seja um líder que centra tudo em si próprio, além de não ser eficiente, é chato, concorda? Claro, o líder precisa facilitar esse momento para que todos tenham espaço, para que a fala esteja dentro do assunto proposto e para que o tempo não seja excedido. Tempo para ouvir comunica para as pessoas que elas importam, que elas são inteligentes e que elas podem contribuir. O contrário também é verdadeiro.

8. **Agradeça:** Termine sua reunião agradecendo. Agradecimento direciona nossos olhos e atenção para o alvo da nossa gratidão. Então nada melhor do que acabar sua reunião direcionando os olhos e atenção da sua equipe para Deus, para a participação e as contribuições individuais e coletivas etc.

- DEPOIS DA REUNIÃO:

  1. **Agradeça e valide a próxima reunião:** Se você tem um grupo com essas pessoas, vale uma mensagem depois ou

Como conduzir uma reunião de voluntários

no dia seguinte agradecendo mais uma vez e validando as informações sobre o próximo encontro da equipe.
2. **Envie/compartilhe as informações da reunião:** É muito importante que a equipe tenha acesso à ata da reunião — os assuntos discutidos, as decisões tomadas, as responsabilidades delegadas e as questões que ficaram em aberto —, para que cada um possa revisar quando necessário, acessar aos prazos das ações etc. É responsabilidade do líder tornar essas informações acessíveis.
3. **Tenha atenção com o 1:** O líder precisa estar sempre atento ao 1. Atento a cada pessoa que estava presente na reunião. O líder não pode ser genérico na sua liderança, uma mensagem no grupo perguntando como as pessoas estão não é suficiente. Se você notou que alguém não estava legal, não estava bem durante a reunião, não deixe de entrar em contato com essa pessoa depois e verificar se foi impressão sua ou se ela está realmente precisando de ajuda etc.

Apêndice 9
Festa dos voluntários

- **Orçamento Disponível:**
  — Orçar itens abaixo e solicitar/negociar valor junto ao financeiro.

- **Quantidade de pessoas:**
  — Solicitar a confirmação de pessoas por departamento / ministério que estarão presentes para organização do auditório e preparação do evento.

- **Programação:**
  — Fechar programação considerando a disponibilidade do calendário geral da igreja e horário de início e término.
  — Elementos da programação: Premiações dos destaques de cada departamento, Palavra de inspiração, momento de honra aos voluntários em geral (vídeo, presencial etc.), agradecimento aos líderes-chave da equipe, sorteios por categoria (voluntário que serve há mais tempo, voluntário mais novo etc.), quebra-gelo, melhores momentos do ano, elemento criativo.

- **Voluntários Premiados (por departamento/ministério):**
  — Solicitar aos Líderes Gerais de Departamento e Líderes dos Ministérios os nomes dos voluntários/líderes que irão ser

honrados na festa. Observação: apenas um voluntário de cada departamento/ministério é honrado como destaque.
— Providenciar premiação. Por exemplo, *kits*, ingressos de cinema, crédito para restaurantes, presentes doados por patrocinadores etc.

- **Tema/Decoração:**
  — Decidir tema do ano e planejar a decoração e as premiações relacionadas com o tema.

- **Atrativos:**
  — Exemplo: mural para fotos, carrinho de pipoca, depoimentos de membros/liderados etc.

- **Comes e Bebes:**
  — Orçar e planejar comes e bebes para serem servidos na festa.

- **Patrocinadores:**
  — Financiadores de alguns elementos da festa e dos brindes.

- **Mestres de Cerimônia:**
  — Determinar quem são. Essas pessoas irão facilitar a apresentação dos destaques, momentos de honra, transições da programação e o que for necessário.